ARTHUR
Breuddwydiwr a Gweithredwr

Arthur

Breuddwydiwr a Gweithredwr

Golygydd: Eryl Owain

Gwasg Carreg Gwalch

Argraffiad cyntaf: 2020

Rhif Llyfr Safonol Rhyngwladol:
978-1-84527-748-2

CYNGOR LLYFRAU CYMRU

Cyhoeddwyd gyda chymorth Cyngor Llyfrau Cymru

Dylunio'r clawr: Eleri Owen

Cyhoeddwyd gan Wasg Carreg Gwalch,
12 Iard yr Orsaf, Llanrwst, Dyffryn Conwy, Cymru LL26 0EH.
Ffôn: 01492 642031
e-bost: llyfrau@carreg-gwalch.cymru
lle ar y we: www.carreg-gwalch.cymru

Argraffwyd a chyhoeddwyd yng Nghymru

Cyflwynedig i
Olwen, Elen a Joe,
ac i Ffion iddi hi gael dod i adnabod Taid
trwy'r holl straeon

Cynnwys

Er cof am hen gyfaill

Yn iach Arthur – y chwerthin; arabedd
    Hen rebel; y rhuddin;
   Y wariar; y pererin;
   Y rhegfeydd, a'r ogof win!

John Roberts

Diolch

. . . yn bennaf oll i Olwen ac Elen am eu cefnogaeth, eu hanogaeth gyson ac am eu cymorth ymarferol yn hel gwybodaeth a dethol lluniau

. . . i bawb a gyfrannodd ysgrifau neu a rannodd atgof a stori

. . . i Wasg Carreg Gwalch am gynnig y syniad ac i Myrddin, cyd-olygydd i bob pwrpas

. . . a diolch, Arthur, am yr amseroedd da a gafwyd

Cyflwyniad

MYRDDIN AP DAFYDD

Mae yna rai pobl sy'n hoffi arddel label: 'Dwi'n Farcsydd'; 'Dwi'n Frenhinwr'; 'Dwi'n Gristion'; 'Dwi'n Genedlaetholwr'; 'Dwi o blaid y peth yma' neu 'Dwi'n erbyn y peth arall'. Fedrwch chi ddim rhoi label ar Arthur. Nid byw y tu ôl i ddamcaniaethau roedd o, ond byw drwy weithredoedd.

Mi glywais fwy nag un cyfoeswr yn dweud na fuasai ganddo ddiddordeb yn y 'petha Cymraeg' oni bai am Arthur. Yn y saithdegau a'r wythdegau, roedd ganddo babell fawr rad a digysur oedd weithiau'n dal chwech, weithiau'n dal tri ar ddeg. Hon oedd 'Pabell Sali Mali' ym mhob maes pebyll Eisteddfodol am flynyddoedd. Roedd digon o le, digon o groeso ynddi i unrhyw un oedd yn brin o lety. Mi fyddai Arthur yn canfod canolfan ar gyrion tre'r eisteddfod cyn dyddiau'r bar ar y Maes – y Plu yn Llanystumdwy adeg Steddfod Cricieth, Tafarn Teifi, Llandudoch adeg Steddfod Aberteifi ac ati. Roedd y rhai oedd yn medru cofio yn taeru bod y steddfodau yn rheiny'n rhagori ar yr un swyddogol.

Roedd yn perthyn i fudiadau'r iaith a dyfodol Cymru, ond welech chi mohono'n geffyl blaen. Byddai yno pan oedd angen gweithredu. Mynd ati i roi addysg Gymraeg i blant mewn ffordd oedd yn eu gwneud i glosio at y pwnc a'r iaith wnaeth o; dychwelyd i fyw ym Mhenmachno a chreu cylch o ddigwyddiadau roedd pobl ifanc yn mynd iddynt am eu bod yn mwynhau'u hunain. Roedd yn un o sefydlwyr *Yr Odyn*, ond darllenwyr y fro – nid y fo – oedd yn bwysig. Un o sefydlwyr Clwb Rygbi Nant Conwy, a wnaeth gymaint â dim arall i uno cymdeithas ifanc y dyffryn, a hynny gan ddefnyddio'r iaith ar lawr gwlad.

Pan briododd Olwen ac ymgartrefu ym Mhorthmadog, yr un oedd ei ddylanwadau o fewn y gymdeithas honno. Yno, trodd ei garej yn Ogof Arthur. Roedd honno yn union fel tafarn Wyddelig yn llawn o bosteri Cymraeg – ond nad oedd yna ddrôr pres yno. Bragai ei gwrw cartref a'i hwrjo er mwyn cael dy gwmni. Os oeddat ti'n dreifio, hanner peint oedd y limit. Yr Ogof honno biau'r englyn,

Tri pheth ymysg fy hoff bethau – rhyw griw
    Go ryff o hen ffrindiau
    A diawl o godi hwyliau
    A bar cefn heb oriau cau.

Trodd y babell a'r ogof yn olwynion mewn blynyddoedd diweddarach. Prynodd Olwen ac Arthur garafanét i'w cludo o amgylch digwyddiadau a lleoliadau lle roedd yna firi. 'Yr Hers' oedd ei henw ac mi'i gwelwch lle roedd gêm rygbi go bwysig gan Nant neu rali wladgarol neu Ŵyl Gwrw neu Ŵyl Werin. O'r cymdeithasu naturiol hynny y casglodd straeon ac y tyfodd syniadau am gyfrolau i gofnodi gwreiddioldeb a ffraethineb y cymeriadau oedd yn llenwi'i fywyd.

Sgwennodd ddegau o gardiau post hefyd ar ei deithiau ef ac Olwen ar y Cyfandir. Weithiau roedd y teithiau hynny ar drywydd gwleidyddol; weithiau ar drywydd cynnyrch a diwylliant lleol ac weithiau wrth ddilyn eu merch, Elen, a'i gwaith fel telynores broffesiynol o le i le. Yn ddiweddarach, daeth Joe, priod Elen, yn reswm arall dros deithio. Ble bynnag yr oedd o, mwynhâi gwmni pobl go iawn – dim ots beth oedd eu hiaith na ble roedden nhw'n byw.

Yn gwmnïwr a chanwr gwerin heb ei ail, at fwrdd Arthur y byddai pawb yn tynnu am sgwrs a chân a thynnu coes. Diflannodd y cetyn a'r cymylau o fwg glas oedd o amgylch y bwrdd hwnnw dros y blynyddoedd. Distawodd y sgwrs a'r gân bellach. Ond diolch am gael nabod Arthur a diolch am ei gyfraniad. Mae'r gyfrol hon yn codi cwr y llen ar niferoedd ac amrywiaeth ei freuddwydion a'i weithredoedd.

Wrth gofio Arthur Morgan

Yn ei ymadawiad y mae diwedd
ar ddweud straeon, ar Afallon. Ei fedd
yw gair Ionawr, a dyna'r gwirionedd.
Aeth, ac mae'r hiraeth uwch tir ei orwedd
yn ddiddeall, ddi-allwedd drwy'r cloeon
anodd, am ŵr llon oedd yma'r llynedd.

Ym mhobl ei fore, gwelai gyfleon:
yn y cwm ei hun, yn inc y manion –
cariad ac aelwyd yw crud y galon.
O'r nentydd culaf, dôi lled i'r afon
a, bro wrth fro, codai'n y fron – deimlad
at wlad, a galwad ar ei thrigolion.

A gallai glywed wrth deithio'r gwledydd
eneidiau â'u hanian o'r un deunydd;
un byd oedd o hyd: byd yr ehedydd;
byd oen y Pasg dan eryr y ffasgydd.
Mae ym mharêd Cymru rydd – bob gwerin
a'i hanes blin a'i chanu ysblennydd.

Myrddin ap Dafydd

Rhan 1

Cartref ac Ysgol

Arthur mewn côt binc ar ôl ei gyfnither

DAFYDD THOMAS (Dei Cop)
ar ran teulu Penmachno

Wrth geisio dygymod â'r newyddion trist am farwolaeth Arthur, anodd yw peidio â gwenu wrth feddwl am yr holl atgofion sydd gennym amdano.

Roedd Arthur yn dipyn o all-rownder – hanesydd; cerddor; awdur; bardd; chwaraewr rygbi (o fath!); digrifwr ac yn bennaf gwladgarwr balch.

Roedd ganddo ddiddordeb mawr yn ei achau ac wedi gwneud ymchwil manwl i gymeriadau plwyf Penmachno ac roedd wrth ei fodd yn adrodd hanesion amdanynt. Ac er ein bod wedi clywed amryw ohonynt fwy nag unwaith, roedd y ddawn oedd ganddo o'u dweud yn dal i ddifyrru'r gwrandawyr.

Yn 1981 roeddwn yn gyfrifol am y cyfrifiad ym Mhlwyf Penmachno. Gwrthododd Arthur gwblhau'r ffurflen gan nad oedd darpariaeth yn y Gymraeg. O ganlyniad, bu'n rhaid iddo ymddangos o flaen Llys yr Ynadon yn Llanrwst. Y diweddar R. A. Evans, Gwernhywel Bach, Ysbyty Ifan oedd cadeirydd y fainc a minnau'n rhoi tystiolaeth ar ran yr awdurdodau perthnasol.

Roedd y gwrandawiad i fod yn y bore ond cafodd ei ohirio tan y p'nawn ac aeth Arthur, R. A. a minnau gyda'n gilydd am fwyd i'r Milk Bar. Tybed beth ddywedai'r Arglwydd Ganghellor petai'n gwybod fod y diffynnydd, cadeirydd yr Ynadon a phrif dyst yr erlyniad wedi cyd-giniawa! Erbyn hyn, does gennyf ddim cof beth oedd canlyniad yr achos.

Cawsom dripiau rygbi di-ri' – Dulyn, Llundain a Chaeredin gyda llawer o hwyl ar y tripiau hynny.

Wrth yrru trwy Ddulyn yn fuan wedi marwolaeth Arthur,

daeth atgofion am ymweliad â llefydd fel Coleg y Drindod i weld y *Book of Kells*, Jêl Kilmainham lle saethwyd nifer o arweinwyr y frwydr am annibyniaeth yn 1916, a'r GPO yn O'Connell Street lle cafodd Cyhoeddiad y Weriniaeth ei ddarllen gan Patrick Pearse yn 1916.

Arthur a Gareth Miles, yn llosgi ffurflen Cyfrifiad 1971 yn Wrecsam.

Rhaid sylweddoli fod delio gyda'r holl ddiwylliant yma yn waith sychedig ar y naw a dyna lle'r oedd llefydd fel O'Donoghue's, Slattery's a Chlwb Wolfe Tones yn dod i'r fei! Cofio eistedd yn y gwesty yn Bray ar fore Sul lle'r oedd Ieu Rhos yn darllen yr *Irish Times*. Bu i Arthur roi matsien i'r papur ac aeth i fyny yn wenfflam yn nwylo Ieu. Cymeriad direidus a hwyliog!

Un o'r pethau nad oedd o'n hoffi ei wneud oedd coginio. Cofiaf iddo wneud sosban o gyri vindaloo i bara wythnos. Bwyta gyda llwy oedd hi ddechrau'r wythnos ond erbyn diwedd yr wythnos roedd angen peth nesaf i drywel i fynd at y bwyd.

Wedi iddo briodi parhau wnaeth yr hiwmor a'r hwyl a mawr oedd ei falchder pan fu i Elen gael ei geni. Beth oedd yn drawiadol i mi oedd y berthynas deuluol agos ond hefyd fod y tri ohonynt yn fêts pennaf ac roedd ei falchder yn llwyddiant Elen yn amlwg. Trueni o'r mwyaf na chafodd Arthur fyw i weld genedigaeth ei wyres - mae'n anodd deall y drefn ar adegau.

Gallwn ail adrodd hanesion diri' amdano ac mae'n braf meddwl y bydd y llyfr hwn yn fodd o sicrhau y bydd ein hatgofion melys am Arthur yn parhau i ddod â gwên i'n hwynebau.

Hogyn o Benmachno

ERYL OWAIN

Heb unrhyw amheuaeth o gwbl, un o hogiau Penmachno oedd Arthur. Yno y ganwyd ef yn 1947 yn frawd bach i Robert Selyf a John Ednyfed – Bob Sel a Nyf Tom i'w cyfoedion. Ymfalchïai iddo gael ei fagu yn rhan o'r gymdeithas chwarelyddol ac amaethyddol cwbl Gymreig oedd yn bodoli adeg ei blentyndod a'i lencyndod. Arwydd o'r Cymreictod hwnnw yw i'w mam glywed y ddau frawd hŷn, pan oeddent yn blant bach adeg yr Ail Ryfel Byd, yn bloeddio i glustiau ifaciwî oedd yn aros gerllaw eu cartref; roeddent yn meddwl ei fod yn fyddar gan na fedrai ddeall Cymraeg! Bu dylanwad y gymdeithas honno'n rhan o gymeriad Arthur a'i fyd-olwg weddill ei oes ac, er iddo dreulio dros ddeng mlynedd ar hugain yn alltud, un o hogiau Penmachno oedd o trwy gydol ei fywyd.

Roedd ei wreiddiau'n ddwfn yn y fro, gan fynd yn ôl genedlaethau lawer oherwydd hawlir fod yr Esgob William Morgan ymysg ei gyndeidiau. Ar ochr ei dad – Richie Thomas, wrth gwrs – roedd yn hannu o hen deulu Ffridd Wen ac yn falch iawn ei fod yn parhau traddodiad teuluol trwy arddel yr enw canol Morgan. Ond roedd yna William Morgan arall yn perthyn iddo; William Morgan Jones neu Wil Mog, y bardd gwlad a fyddai'n gwerthu'i gynnyrch barddonol yn nhafarndai'r ardal. Lluniodd Arthur gyfrol amdano yng nghyfres Llafar Gwlad ac roedd yn sicr ddigon yn hynod falch o'r berthynas honno!

Yn naturiol, roedd cerddoriaeth yn rhan annatod o'i fagwraeth, fel y canfu Beti George pan oedd Arthur yn westai ar *Beti a'i Phobl* yn Nhachwedd 2018 wrth holi am ei dad:

Y teulu: Richie a Mai, Arthur, Ednyfed a Selyf

Beti: Oeddech chi'n blentyn yn sylweddoli pa mor enwog oedd o?

Arthur: I raddau, y tu allan i Benmachno. Ym Mhenmachno ei hun, roedd o'n cael ei dderbyn fel unrhyw un arall. Roedd ganddo wythawd ar un adeg ac roedden nhw'n ymarfer yn y tŷ.

Beti: Roedd ganddoch chi dŷ mawr felly?

Arthur: Na, tŷ bychan oedd o, fedrech chi ddim osgoi sŵn y canu. Roedd nhad wrthi bob nos ar ôl gwaith a chael swper a newid, roedd o'n mynd i'r cefn, i'r parlwr i ddysgu caneuon. Dwi'n cofio un, erbyn dallt, La Donna è mobile, aria enwog Eidaleg, dwi'n cofio un cymal, un rhan, *È di pensiero*, duw o'n i'n meddwl mai enw rhyw ddyn oedd o, oedd yn byw yn rhywle. Wel, oedd yna Pen Isa' a Pen-bryn.

Beti: Oedd yna biano yn y tŷ? Hynny yw, oedd yna bobl yn dod i gyfeilio iddo?

Arthur: Wel, os oeddach chi'n gallu cyfeilio ar biano tŷ ni, 'sai'n
wyrth! Roedd nhad yn defnyddio un bys ar ambell nodyn.
Dwi'n cofio Lewis Jones, y tiwniwr piano (dall) o Flaenau
Ffestiniog, yn dod yno, oedd o'n ffrindiau efo nhad, a dyma
nhad yn dweud wrtho
　'Be elli di wneud efo'r piano 'ma, Lewis?'
Dyma fo jest rhoi 'chydig arni a troi at nhad a dweud,
　'Gordd, Richie', medda fo.

Un o Benmachno oedd ei fam, Mai Thomas, hefyd a bu hi'n
ddylanwad pwysig o ran magu diddordeb mewn barddoniaeth
a straeon llawr gwlad, fel y tystiodd Arthur yn yr un sgwrs:

Oedd mam yn ddynes swil ond roedd ganddi gof anhygoel.
Roedd nain wedi cael mam yn ifanc ac roedd mam wedi ei magu
efo'i nain hi. Wedyn wrth gwrs roedd y traddodiad gwerin yn
fyw iawn. Oedd fy hen nain wedi ei geni yng nghanol y ganrif
gynt, 'doedd ac roedd mam yn cofio'r pethau yma. Oedd yna
frawd i nain, mam y nhad, Wil Mog oedd yn fardd gwlad ac
roedd mam yn gallu adrodd llawer o'i benillion o. 'Dach chi isio
mi adrodd un ohonyn nhw. Dysgis i hon, wel mi wnes wneud
iddi eu 'sgwennu nhw i lawr, 10 pennill wyth llinell – 'Goreuon
Cwm a Llan' – penillion hwyl ynde.
　　Wil Jones, y Saer yw'r gorau
　　Medd rhai, am guro'r hoel,
　　A'r gorau am gnoi baco
　　Yw Lewis Pen y Foel,
　　A Dafydd Dafis, 'gethwr
　　Sy'n ddawnus ym mhob man,
　　A'r gorau am fwyta riwbob
　　Yw Robert Jones, Pen Lan.

Mwynhaodd Arthur ei gyfnod yn Ysgol Penmachno, lle'r
oedd hyd yn oed Saesneg yn cael ei ddysgu drwy gyfrwng y
Gymraeg. Bu ei flwyddyn olaf yn yr ysgol gynradd yn un
werthfawr iddo a chyfle i feithrin ei ddiddordeb mewn darllen.

Beti: Roeddech chi'n hoff o ddarllen erioed, Arthur.
          Roeddech chi'n darllen llawer yn ifanc?

Arthur: Rhaid imi ddeud fod Ysgol Penmachno yn un arbennig
        o dda ac roedd hi'n annog hynny.

Beti: Ac roedden nhw hyd yn oed yn eich gwneud chi i
          adolygu llyfrau mor ifanc â hynny?

Arthur: Be ddigwyddodd oedd mi wnes i basio'r erchyll-beth,
        yr Ilefn Plys . . .

Beti: Pam oedd e'n 'erchyll-beth'?!

Arthur: Achos dwi wedi gweld wedyn dach chi'n gweld, roedd
        na rai plant yn datblygu'n fwy diweddar na'i gilydd – rhai
        pan oeddan nhw'n bedair ar ddeg oed. Mi fasa'r rheiny'n
        cael eu taflu ar y doman, a dyna hi.

Beti: Mm, ie dwi'n gweld.

Arthur: Be ges i oedd blwyddyn ychwanegol ar ôl pasio'r
        arholiad. Amser hynny, y Pasg oedd y toriad – nid mis Awst.
        Gan fy mod i'n cael fy mhen-blwydd ym mis Mai, ges i 'nal
        yn ôl ym Mhenmachno am flwyddyn. A honno oedd y
        flwyddyn orau o addysg ges i erioed.

Beti: A doedd dim isie i chi boeni bod arholiad o'ch bla'n chi?

Arthur: Na, dim byd. Roedd y prifathro, y diweddar Ellis
        Hughes yn rhoi llyfrau imi i'w darllen. Ro'n i fod i sgwennu
        crynodeb ac wedyn adolygiad o bob un.

Beti: Ew! Gwych o beth ynde?

Arthur: Oedd. Ro'n i'n cael hanes lleol a phethau felly hefyd.

Cofia Arthur hefyd am un athrawes yn benodol:

Mi oedd yna athrawes, Miss Price o Ddolwyddelan, oedd hi'n athrawes arbennig, oeddan ni'n cael gwersi canu – p'nawn Gwener, 'falla, o ganu gwerin. 'Dwi di canu nhw ers hynny.

Holodd Beti George ef a oedd yn newid byd pan aeth i Ysgol Ramadeg Llanrwst,

Arthur: Newid byd, newid bydysawd bron ynde achos i'r
    Llanrwst Grammar School oedd rhywun yn mynd, Seisnig
    hollol. A ges i'n rhoi yn y B, achos doedd 'y Saesnag i ddim
    digon da, am wn i. A dwi'n cofio'r wythnos gyntaf a'r
    Prifathro, ew, yn codi ofn ar rywun yn ei glogyn, yn rhoi
    gwers hanes yn gofyn
    '*Where was the Battle of Waterloo fought, boy?*
    'Betws-y-coed', medda fi.
    Iesu, roddodd o glusten i mi, ond duw doedd yna bont
    Waterloo, oedd yna westy Waterloo, oedd yna garej
    Waterloo. Tasa fo wedi gofyn i mi lle'r oedd castell Llywelyn
    Fawr, mi faswn i wedi gallu ei ateb o. Neu os fasa fo wedi
    sôn am Gruffydd ap Dafydd Goch oedd yn fardd llys yn
    Fedw Deg, Penmachno, faswn i wedi gallu dweud wrtho fo.
    Ar ôl Nadolig, ges i'n symud i fyny i'r A, ac roedd yna ddyn
    oedd yn dysgu hanes . . . a'r peth cyntaf wnaeth hwnnw yn
    y wers gyntaf, yn cerdded lawr y rhesi, roedd ganddo fwnsh
    o oriadau a mi roth slap i mi ar draws fy mhen
    '*I didn't like your brother, boy.*'

Gwehydd oedd Richie Thomas, a fu'n gweithio trwy gydol ei oes yn ffatri wlân Penmachno ac, yn sgîl hynny, cafodd Arthur brofiad o'r felin tra roedd hi'n dal yn brysur yno. Ac, wrth gwrs, roedd ganddo straeon i'w hadrodd,

Arthur: Mi fues i'n gweithio yno am dri haf pan yn yr ysgol . . .

ac o'n i'n mynd efo nhad os oedd angen help i wneud
rhywbeth ar ddydd Sadwrn . . . yn gwneud pob math o
bethau.

Beti: A doedd yna ddim gymaint o sôn yr adeg honno am
Iechyd a Diogelwch.

Arthur: Uffarn na. Dwi'n cofio o'n i ar ben rhyw beiriant yn
ll'nau a dyma'r wennol yn fflio allan a bang yn erbyn y
peiriant o danaf. A dyma'r boi oedd yn gweithio'r peiriant
yn dweud,
    'Symud o'r ffor' y diawl gwirion'
A dyna'r cyfarwyddyd iechyd a diogelwch ges i – bach yn
hwyr yn doedd?

Beti: Oedd, achos os fydde fo wedi eich bwrw chi, fydda fo
wedi eich lladd chi?

Arthur: O bydda, achos roedd yna flaen haearn arno, fath â
bwled

Cofia ei gyfoedion am fachgen a llanc ifanc a oedd yn
cymryd rhan lawn ym mhrysurdeb gweithgareddau'r pentref, y
rhai swyddogol yn troi o amgylch y capeli a'r neuadd yn ogystal
â'r hwyl answyddogol ymysg ei ffrindiau. A gallwch fentro fod
iddo ran amlwg yn y tynnu coes, y triciau a'r drygioni fyddai'n
digwydd! Fel y byddai'n naturiol i blant pump a chwedegau'r
ganrif ddiwethaf, daeth i adnabod Penmachno a'r cylch trwy
gerdded a chrwydro'r fro ac i adnabod ei phobl trwy wylio a
gwrando – yn arbennig gwrando. Ac yn achos Arthur cofio
hefyd, a chychwyn arni i gasglu'r stôr di-ben-draw o straeon,
penillion a chwedlau a fyddai ganddo i'w hadrodd.
    A bu'n ddiolchgar byth wedyn am y sylfaen da a gafodd gan
gymdeithas glòs Penmachno a'r aelwyd ddiwylliedig lle magwyd
ef.

Teyrnged cyfaill o'r henfro

VIVIAN PARRY WILLIAMS

Er i Arthur a finna fod yn gyfeillion dros y blynyddoedd, dim ond yn ystod y blynyddoedd diwethaf y cawsom y cyfle i rannu'r gyfeillach honno'n iawn. Oherwydd ei fod rhai blynyddoedd yn fengach na fi, pur anaml y byddai ein llwybrau'n croesi yn ystod y cyfnod cynnar ym Mhenmachno. Roedd o'n treulio'i amser yn y brifysgol tra roeddwn i'n anelu am Flaenau Ffestiniog bob nos gyda chriw gwyllt o'r Llan. Gyda chriw gwyllt arall o Gymdeithas yr Iaith y byddai Arthur yn cymysgu – protestiwr o'r iawn ryw, ac ambell gofnod i'w weld hyd heddiw yn archifau'r cyfryngau ohono'n tynnu arwyddion uniaith Saesneg i lawr. 'Hen Rebal' go iawn; roedd 'rhen Richie wedi rhagweld y byddai'r gân honno'n fytholwyrdd i gofio am gyfraniad ei fab chwyldroadol!

Yna mynd ein gwahanol ffyrdd, y fo i fyd addysg a finnau i bwerdy Tanygrisiau, priodi, a setlo'i lawr. Byddwn yn dod ar ei draws o bryd i'w gilydd, mewn ryw dalwrn neu gyfarfod a chael mynd dros yr hen ddyddiau.

Cofio iddo drefnu darlith a chriw da o Gymdeithas Meibion Machno, dan ofal y diweddar annwyl Dafydd Hughes, yn ei groesawu yno. Roedd o wedi hel casgliad o farddoniaeth beirdd y fro at ei gilydd, a'u cyhoeddi fel llyfryn dan y testun Beirdd Penmachno, ac fe wnaeth gymwynas fawr â'r sawl sy'n ymddiddori yn hanes beirdd a barddoniaeth yr ardal. Gwych o gyfrol. Ond fe wnaeth gymwynas fawr yn bersonol i minnau hefyd, drwy werthu copïau o'r gyfrol ar y noson, gyda'r elw i gyd yn mynd tuag at fy menter innau ar y pryd, sef cyhoeddi fy nghyfrol *Plwyf Penmachno*, oedd at galon Arthur.

Doedd menyn ddim yn arfer
toddi yn ei geg!

Yn fachgen da gyda'i fam y tu
allan i Cartrefle

Gwerthfawrogais ei gyfraniad, a'i gefnogaeth yn aruthrol.

Roeddem ein dau yn rhannu'r un diddordebau – barddoniaeth, llenyddiaeth a hanes lleol – a hynny'n cynnwys dôs fawr o gysylltiadau â'n henfro, oherwydd dyfnder ein gwreiddiau ym Mhenmachno. Gwerthfawrogai'r ddau ohonom sgwrs gyda'n gilydd yn aml yn trafod hynt a helynt y plwy' dros y blynyddoedd.

Wedi iddi fo ac Olwen symud i Borthmadog i fyw, byddwn yn cael cyfle, rŵan ac yn man i droi mewn i'w gartra am banad yn achlysurol, a derbyn y croeso arferol. Er cael gwahoddiad sawl tro i ymweld ag Ogof Arthur, i flasu'r cwrw cry' a fragwyd ganddo, troi'r cynnig i lawr fyddwn bob tro, wedi clywed am antics ambell ymwelydd arall.

Fel y gŵyr pawb, roedd o'n rhegwr o fri!! Mi ddechreuodd y tueddiad hwnnw pan oedd yn yr infants yn yr ysgol ym Mhenmachno, mae'n debyg. Neu dyna oedd y profiad cyntaf imi glywed iaith lliwgar rhen gyfaill. Roeddwn i'n standard ffeif, dybiwn i, pan glywais Arthur yn cael ffrae gan un o'r athrawon wedi iddo gael ei glywed yn ynganu'r geiriau 'lori gachu' wrth chwarae motos yn yr iard. Roedd geiriau felly'n anfaddeuol yn y dyddiau pan oedd yr athrawon, bob un, yn aelodau ffyddlon yng nghapeli'r pentref. Ond mi gafodd criw o hogiau hŷn yr ysgol y diwrnod hwnnw, yn ôl yn y 1950au, lond bol o hwyl yn gwrando ar fab codwr canu'r capel Wesla'n rhegi mor ofnadwy. Diolch i drefn na chlywodd yr athrawes honno mohono'n mynd trwy'i betha wedi iddo dyfu'i fyny! Aeth llawer o ddŵr dan bont Llan ers hynny, a chefais sawl cyfle i glywed straeon am gymeriadau Penmachno, ac ardaloedd eraill y dyddiau fu yn ei gwmni difyr.

Daeth Arthur ac Olwen draw i dafarn y Pengwern i wrando arnai'n sgwrsio am agwedd ar chwareli 'Stiniog tua blwyddyn yn ôl, a chawsom, fel teulu, hwyl mawr yng nghwmni'r ddau ar y noson. A dyna'r tro olaf inni fwynhau cwmni'n gilydd, yn anffodus. Diolch iddo am ei ffraethineb, ei hiwmor a'i natur ddoniol bob amser. Cymro i'r carn, yn ei wir ystyr, gydag argyhoeddiadau cryfion ganddo.

Ac er ei holl drafaels, hogyn o'r Llan oedd Arthur – hogyn Penmachno, a'i wreiddiau'n ddwfn yn y plwy', a pheidied neb ag anghofio hynny. Wedi'r holl flynyddoedd o fod yn alltud, mae o'n ôl adra rŵan.

Diolch am gael dy nabod Arthur. Fydd y byd yma ddim yr un fath hebddot ti rhywsut.

Yn llanc ifanc
– cyn i'r gwallt dyfu!

Rhan 2

Coleg a Wrecsam

Criw Coleg - Rhodri, Arthur, Gwynfor a John, Mawrth 1968

Abertawe a Choedpoeth

Atgofion JOHN ROBERTS

Ergyd annisgwyl oedd clywed fod Arthur wedi'n gadael. Am ryw reswm, neu afreswm, roeddwn yn meddwl y byddai o, fel yr achosion a gefnogai, yma o hyd.

Fel ffrindiau coleg yn Abertawe yn y 1960'au, a chyd letywyr yn nhŷ Gruff Miles yng Nghoedpoeth ar ddechrau'r 1970'au, cawsom hwyl rhyfeddol mewn cyfnod cyffrous i'r iaith a'r mudiad cenedlaethol.

Do, fe lifiwyd ambell sein, ond mae arwydd Vivod efo dwy 'v' yn dal ar yr A5 – y ffordd lle, ar gyrion Pentrefoelas, yr anafwyd Arthur, y collwyd Gruff ac y diflannodd peth o'n hieuenctid diniwed.

Yn aml, roeddwn i'n cael lifft i'r coleg yn Abertawe gan Arthur yn ei fan Morris – hen fan GPO. Cwrddais â'i rieni ym Mhenmachno sawl tro. Halen y ddaear, fel Arthur ei hun.

Roedd yn gyfnod protestiadau Cymdeithas yr Iaith, Arwisgiad Caernarfon a'r brotest fawr gwrth-apartheid tu allan i gae rygbi Sain Helen, Abertawe. Dangosodd Arthur ei ochr yn gadarn ym mhob un o'r rhain.

Gallai drafod ei waith coleg yn ddeallus. Daeareg oedd un o'i bynciau ac yn aml wrth fynd am dro byddai'n codi carreg anarferol yr olwg a rhoi darlith fer ar ei tharddiad cyn-Gambriaidd, Ordoficaidd, neu beth bynnag.

Ond am y pethau gwirion a'r hwyl diniwed yr hiraethaf wrth feddwl am Arthur hanner can mlynedd yn ddiweddarach. Y mwstash, y pen ar un ochr, y straeon celwydd golau, ei barti 21ain yn y Rhyddings,

Yng Nghoedpoeth roedd pump ohonom ddynion ifanc yn

byw yn yr un tŷ – pedwar yn athrawon a minnau yn gweithio yn adran hysbysebion y Cymro yng Nghroesoswallt. Gall pawb sy'n cofio Gruff Miles a'r Dyniadon Ynfyd Hirfelyn Tesog ddychmygu natur Fohemaidd ein cartref yn Adwy'r Nant. Roedd Arthur a minnau'n rhannu llofft go gyntefig a'r cyfan ohonom yn rhannu cegin na chai wobr Egon Ronay, i fod yn ddiplomataidd.

Roedd 1971 yn flwyddyn Cyfrifiad, ac Arthur dwi bron yn siŵr, a arweiniodd ein hymgyrch i gael ffurflen unigol i bob un ohonom, er mwyn cynyddu'r defnydd o'r ffurflenni Cymraeg. Ysywaeth, fe'n hysbyswyd mai un ffurflen yn unig a gawsem, i'w llenwi ar y cyd gan ein bod yn un teulu yn byw dan yr un to. Roedd yr awdurdodau yn bygwth gwae ond ildio a wnaethant maes o law, ar y sail (hollol gywir) fod y pump ohonom yn bwyta ar adegau gwahanol wrth ddilyn ein galwadau gyrfaol. Ymddengys mai'r diffiniad o deulu yw pobl sy'n eistedd o amgylch yr un bwrdd yn cyd fwyta. Nid pawb sy'n gwybod hynny.

Arthur oedd gwas priodas Mary a mi. Roeddem yn chwysu rhywfaint wrth feddwl sut fyddai gwahoddedigion mwyaf sidêt y to hŷn yn ymateb i'r llanc gwallt hir, cringoch, cyrliog - gyda thuedd i siarad yn hynod o blaen. Ond doedd dim rhaid pryderu. Fe wnaeth ei waith yn gydwybodol, a chydag arddeliad, fel pob dim y trodd ei law ato yn y degawdau wedyn.

Yn ein sgwrs ddiwethaf ym Mhorthmadog yn Hydref 2019, yr un hen Arthur a welodd Mary a mi. Cawsom hanes ei wyliau diweddaraf yn y campafán a gwelsom ei falchder amlwg yn llwyddiant Elen. Cyfnewidiwyd ein cyfarchion Nadolig arferol heb fawr feddwl y byddai Arthur druan wedi'n gadael o fewn y mis.

Coleg, hwyl a phrotest

ERYL OWAIN

Er ei ddiddordeb mewn hanes a llên, astudio Swoleg a Llysieueg yng Ngholeg y Brifysgol Abertawe wnaeth Arthur. Criw go fach oedd yna o Gymry, ond criw agos i'w gilydd, a chriw pybyr o ran eu Cymreictod a chriw oedd yn gwybod sut i fwynhau eu hunain – ac Arthur gymaint â neb!

Symudodd i Aberystwyth ar gyfer ei flwyddyn Ymarfer Dysgu ac yna cafodd ei benodi i'w swydd gyntaf yn Ysgol Morgan Llwyd yn Wrecsam, lle bu am dair blynedd.

Y cyfnodau hyn, o ddiwedd y chwedegau hyd at ganol y saithdegau, oedd oes aur protestiadau torfol Cymdeithas yr Iaith. Perthynai Arthur i'r genhedlaeth honno a oedd wedi'u dylanwadu gan ddigwyddiadau allweddol y 1960au, megis boddi Cwm Tryweryn, buddugoliaeth Gwynfor Evans yn 1966 a'r Arwisgo dair blynedd wedyn. Cenhedlaeth a oedd hefyd yn ymwybodol o brotestio byd eang yn erbyn anghyfiawnder apartheid yn Ne Affrica a'r un math o wahanu'r du a'r gwyn yn yr Unol Daleithiau ac yn erbyn y rhyfel yn Vietnam. Ac fel pobl ifainc ledled y byd, roedd parodrwydd yng Nghymru i wneud safiad agored a herfeiddiol a pharodrwydd i dorri'r gyfraith.

Roedd Arthur ymysg y rhai ddaeth i Dŷ Mawr Wybrnant ar Ddydd Calan 1969 i lansio'r ymgyrch arwyddion ffyrdd, tyrfa oedd yn cynnwys ei rieni, Mai a Richie Thomas. Aeth y protestwyr ymlaen â llwyth o arwyddion i'w cyflwyno yn Swyddfa'r Heddlu ym Metws-y-coed. Wedi hynny – a chan gynnwys pan oedd yn athro – bu'n weithgar iawn yn paentio a thynnu arwyddion. Er cael ei arestio ac ymddangos o flaen llys barn sawl tro a derbyn sawl dirwy, osgoi carchar fu ei hanes gan

Y protestiwr hirwallt

y byddai gorchymyn i dynnu'r ddirwy o'i gyflog.

Byddai'n arferiad gan Gymdeithas yr Iaith ar ddechrau'r 1970au i drefnu teithiau haf o amgylch gwahanol rannau o Gymru; gorymdeithio o un man i'r llall, cynnal ralïau a rhannu taflenni o ddrws i ddrws yn ystod y dydd, hyd nes i'r syched fynd yn drech, a chymdeithasu fin nos – ac wrth gwrs doedd neb gwell nag Arthur am godi sgwrs a chodi hwyl â'r criw lleol a thynnu pawb at ei gilydd.

Un tro, cafodd rhyw dri neu bedwar aros dros nos yng nghartref cefnogwyr yn Llandeilo ac Arthur yn tynnu ei sanau yn y llofft. Wedi sawl diwrnod chwyslyd o gerdded y strydoedd, hawdd deall pam fod y lleill oedd yn rhannu'r llofft yn gorfod dal eu trwynau – ac Arthur yn ymfalchïo yn hytrach na chywilyddio! Ond, chwarae teg iddo, agorodd fymryn ar y ffenest a gosod y sanau i hongian dros y lintel dros nos. Tybed faint o'r cymdogion y bore wedyn ryfeddodd at ddull newydd Mrs Jones, Maes-pant o sychu dillad?

Roedd yn barod i ddangos ei liwiau yn ei bentref ei hun. Fel rhan o ymgyrch y Gymdeithas yn erbyn tai haf, meddiannodd dŷ ym Mhenmachno, gan achosi syndod i gyfeillion a chydnabod a oedd yn methu â deall pam fod pen Arthur Morgan yn ffenest llofft un o dai Newgate! A chofia'r protestwyr iddynt gael eu porthi'n dda gyda basgeidiau o fwyd yn cael eu codi drwy'r ffenest.

Meddiannodd dŷ haf yn Nhan-y-grisiau hefyd. A hithau'n dechrau tywyllu, clywyd rhywun yn gweiddi o'r stryd a, rhag achosi gwrthdaro, penderfynodd y criw gadw o'r golwg. Ond parhaodd y gweiddi'n daer, gyda thinc ddigon cyfeillgar, felly mentrwyd i'r ffenest.

'Dwi'n gwybod pam 'da chi 'di dewis y tŷ yma', meddai rhyw ŵr ar y stryd. 'Merêd sy' 'di'ch gyrru chi, yn de?'

Ac yn wir, roedd y protestwyr wedi digwydd meddiannu Bryn Mair, hen gartref Meredydd Evans, a'r gŵr ar y stryd yn un o'i gyfoedion. Pan glywodd Merêd y stori hon, flynyddoedd yn ddiweddarach, roedd wedi dotio'n lân!

Enghraifft arall o weithredu'n lleol oedd darllediad answyddogol y Ceiliog, un o'r setiau radio anghyfreithlon roedd Cymdeithas yr Iaith wedi cael gafael arnynt fel rhan o'r ymgyrch i sefydlu Radio Cymru. Roedd Arthur wedi llunio rhaglen o rhyw chwarter awr oedd yn cynnwys ei dad yn canu a'r diweddar annwyl Ned yn rhoi adroddiad ar gêmau tîm pêl-droed Machno Unedig y Sadwrn cynt. Wedi arbrofi ymlaen llaw i ganfod y man darlledu gorau, gydag Alun a Dei, cefndryd Arthur, yn gwrando mewn gwahanol fannau yn y pentref, llwyddodd y 'darlledwyr' – Clwyd, Eryl ac Arthur – i dorri ar draws gwasanaeth teledu HTV yn union fel oedd rhaglen Y Dydd yn dod i ben. Roedd y croeso dderbyniodd y criw yn nhafarn y Ffynnon Arian yn ddiweddarach y noson honno'n brawf bod pobl Penmachno wedi clywed ac wedi mwynhau'r ymyrraeth â'u harlwy arferol!

Yn anffodus, 'doedd y 'ceiliogod' ddim y teclynnau mwyaf dibynadwy ac, er gwaethaf sgiliau technegol y trydanwr Clwyd Êl, ni chafwyd mwy o glochdar gan y 'ceiliog' hwn.

Mae pawb sydd bellach yn tynnu 'mlaen o ran oedran ac a oedd yn rhan o gyffro'r cyfnod hwnnw'n edrych yn ôl ar ddyddiau llawn hwyl a rhialtwch er gwaethaf difrifoldeb y frwydr dros y Gymraeg. Ac mae sawl un wrth geisio cofio pryd y bu iddynt gyfarfod Arthur am y tro cyntaf yn tybio y byddai hynny wedi bod mewn un o dri lle – Eisteddfod, gêm rygbi neu brotest Cymdeithas yr Iaith.

Hanner canrif o gyfeillgarwch

GERALLT TUDOR

Cyfarfum ag Arthur gyntaf yn y coleg yn Abertawe yn 1968 ac yntau yn ei drydedd flwyddyn. Mwy na thebyg mai yn y Rhyddings oedden ni, tafarn ar gyrion Parc Singleton, lle byddai llawer o Gymry'r coleg yn cwrdd. Yma y dysgais i be oedd brown mics, hoff ddiod Arthur ar y pryd, ac y deallais i fod Newcastle yn rhywbeth amgenach na thref yng ngogledd Lloegr.

Buan iawn y daethom yn ffrindiau er, mi ddeudodd Arthur flynyddoedd wedyn, fod na gwestiwn ar y dechrau a oeddwn i'n un o'r heddlu cudd, yno i adrodd ar y Cymry. Oherwydd mod i wedi bod yn gweithio yn Llyfrgell y Sir yn Aberystwyth am ddwy flynedd cyn dod i Abertawe i astudio Lladin, roeddwn yn hŷn na gweddill criw'r flwyddyn gyntaf. Rhaid cofio fod y cyfnod yma, yn arwain at yr arwisgo, yn amser llawn cyffro, protestio, dadlau a pharanoia – ond hefyd yn amser o obaith a chwyldro yn rhyngwladol, yn arbennig i ieuenctid y byd.

Ac mi roedd Arthur yn ei chanol hi. Roedd o eisoes wedi cael profiad o brotest adeg agoriad swyddogol Llyn Celyn, ac yntau yn yr ysgol bryd hynny. Roedd wedi'i fagu ar aelwyd Gymraeg gadarn ac wedi magu diddordeb yn ei dreftadaeth a'i ardal yn gynnar iawn, felly roedd sefyll dros hawliau a dyfodol ei gymdeithas a'i wlad yn rhywbeth naturiol iddo i'w wneud.

Gwnaeth hynny mewn sawl ffordd. Pan oedd bygythiad i Gwm Gwendraeth Fach gael ei foddi i greu cronfa ddŵr i Abertawe, fe âi Arthur yno i gefnogi'r bobl leol. Pan oedd achos yr F.W.A. yn y llys yn Abertawe, byddai Arthur yno. Pan ddaeth y Springboks i chwarae i Sain Helen, roedd Arthur yna gyda

Arthur yn graddio, Gorffennaf 1969

miloedd eraill yn gwrthwynebu apartheid. Bu Arthur yn weithgar yng Nghymdeithas yr Iaith am flynyddoedd lawer, gan fod yn rhan o'r ymgyrch arwyddion ffyrdd a gwrthwynebu gwerthu tai i fod yn dai haf.

Ond roedd na lawer iawn mwy na hyn i Arthur. Number Ten, yr Uplands, Rhyddings, Anglo Asian, Ceffyl Du, cysgu noson ar domen chippings ger y Stag and Pheasant —mae na straeon di-ri i'w dweud. Ar ôl dyddiau coleg aeth Arthur i Aberystwyth i hyfforddi i fod yn athro ac wedyn i Ysgol Morgan Llwyd a chael llety mewn tŷ yng Nghoedpoeth yn perthyn i'r unigryw Gruff Miles, prif ganwr y grŵp rhyfeddol hwnnw, y Dyniadon Ynfyd Hirfelyn Tesog. Yn y cyfnod yna byddem yn cyfarfod yn eithaf aml – mynd i barti yn West View, Wyddgrug, neu'r Joiner's Arms, Bwlchgwyn lle bydde na ganu da a phobol yn dod â chopi hen nodiant i'r pianydd yn y bar.

Doedd cael ei benodi'n athro ddim yn golygu rhoi'r gorau i brotestio. Dyma hanes un cyrch tynnu arwyddion, yng ngeiriau Arthur ei hun,

'Wel, yr amser hynny wrth gwrs, roedd hi'n ymgyrch arwyddion Cymdeiths yr Iaith ac roeddan ni'n mynd allan i dynnu arwyddion o hyd. Roedd Gruff wedi cael moto-beic a seidcar – un roedd Wil Sam wedi cael gafael arno fo ym mherfeddion Sir Fôn yn rwla. Norton oedd o, efo seidcar mawr – efo hwnnw roeddan ni'n mynd i dynnu arwyddion ac yn rhoi'r arwyddion yn nhrwmbal y Norton a dod â nhw'n ôl. Ond roedd ganddo fo gast go ddrwg, y Norton – roedd yr ecsôst yn dueddol o ddisgyn oddi arno ar adegau 'anodd', ynde. Roeddan ni'n tynnu arwyddion – wna i ddim deud yn lle – ac roedd y ddau arall ohonon ni wedi rhoi'r arwyddion yn y trwmbal ac roeddan ni'n aros am Gruff ac yn galw arno fo, 'Ty'd o'na! Ty'd o'na! Brysia!' Wrthi'n datod y bracets oedd yn arfer dal yr arwydd ar y polyn roedd o. Ar ôl dod yn ôl i'r tŷ y dallton ni, roedd o wedi gweld bod y bracets yn ddigon da i ddal yr ecsôst. A dyna be wnaeth o hefyd – rhoi bracets arwydd bob pen i'r ecsôst ac mi fu honno yn ei lle'n soled iawn wedyn.'

Byddai cryn edrych ymlaen at gyfnod y gemau rygbi rhyngwladol. Roedd criw o athrawon ardal Wrecsam yn arfer mynd i Gaerdydd gyda'i gilydd ac aros, a'r tro hwn yn y Queens Hotel yng nghanol y ddinas. Doedd Arthur ddim wedi archebu ystafell ac roeddwn innau wedi cyrraedd yno o rywle. A hithau bellach yn hwyr y nos a ninnau heb le i aros, dyma feddwl, beth am chwilio am lofft wag. Trwy lwc, mi ffendion ni lofft a mentro cysgu yno. Diolch byth ddaeth neb i hawlio'r llofft a'r bore wedyn mi aethom i nol brecwast, er syndod i griw Wrecsam. Roedd y teithiau i gemau rygbi am flynyddoedd yn achlysuron difyr iawn – chwech ohonom mewn transit van i Gaerdydd ac aros yn nhŷ ffrind i ffrind, yn amlach na pheidio.

Ond fe fu llawer taith arall hefyd. Aeth criw bach ohonom oedd yn cynnwys Gruff Meils, Elfed Lewys, Arthur a minnau drosodd i Lydaw am wyliau un flwyddyn yn van Moskvich Gruff a mini Arthur. Gwersylla oedden ni bob nos, a dim wedi ei drefnu. Dyma ni'n cyrraedd Gourin a gweld fod na Ŵyl Werin ymlaen. Cyn pen dim roedd y trefnwyr wedi deall fod na Gymry yna, ac yn y grêd fod pob Cymro yn medru canu, fe wahoddwyd ni i gymryd rhan. Wel, gyda Gruff ac Elfed ac Arthur roedden ni YN medru canu ac mi ganon nifer o alawon gwerin. Canlyniad hyn oedd croeso bendigedig, gwin am ddim drwy'r nos a chur pen yn y bore. Y diwrnod wedyn, buom yn sgwrsio gyda ffermwyr mewn caffi a chael gwahoddiad i fynd draw i'r ffermdy i flasu *chouchen*, medd meddwol. Croeso bendigedig eto. Roedd bod yng nghwmni Arthur yn aml yn arwain at brofiadau difyr ac weithiau annisgwyl!

Cefais alwad frys ganddo'n gynnar un min nos. Roedd angen cyfieithydd oherwydd roedd Richie, ei dad, wedi agor drws ei gartref ym Mhenmachno i rhyw ddieithryn oedd yn siarad – a phoeri – pymtheg y dwsin ond neb yn ei ddeall, nac yntau'n deall Richie! Yno y buont yn rhythu ar ei gilydd hyd nes i Arthur gyrraedd adre o'r gwaith.

Roedd Arthur a chriw mawr o Gymry ifanc wedi bod yn y Gyngres Geltaidd yn Lorient ac ar noson hwyr, ac Arthur yn ffrindiau gyda phawb, roedd wedi rhoi ei gyfeiriad i'r gwrda hwn. Ac mi drôd i fyny, gyda phecyn llyfrau mawr i'w dosbarthu o gylch y wlad. Gyda phob cytsain, deuai cawod ac anodd oedd osgoi trochfa. Ond cafodd groeso a llety am noson a phàs i Borthmadog yn gynnar y bore wedyn.

Blwyddyn neu ddwy wedyn y cafodd Arthur anaf yn y ddamwain y lladdwyd Gruff Miles ynddi. Er iddo ddioddef yn enbyd a threulio cyfnod hir yn ysbyty Gobowen, roedd yn llawn ffraethineb ac yn sylwi a gwrando ar y bobl o'i gwmpas. Deuai criw mawr o hogia Penmachno'n rheolaidd i ymweld, a hynny o hyd yn hwb. Er gwella'n ddigon da i fedru chwarae rygbi a dringo mynyddoedd, rhybuddiwyd ef y byddai effeithiau'r ddamwain honno'n achosi loes iddo pan fyddai'n hŷn. A dyna fu, ei droed yn troi ac yntau'n cael traffeth cynyddol i gerdded dros y blynyddoedd diwethaf. Dywedodd Arthur yn ddiweddarach fod y profiad wedi newid y ffordd yr edrychai ar fywyd. Roedd am fyw ei fywyd yn llawn gan mor denau y ffin rhwng byw a marw. Ac fe wnaeth.

Doedd Arthur rioed yn un i barchu cyfundrefnau, yn arbennig ddim rhai Seisnig. Afiaith nid gweniaith oedd ei steil ac wrth sgwrsio, trafod a phryfocio, canu – yn arbennig caneuon gwerin – a theithio cafodd fwynhau llawnder yng nghwmni Olwen ac Elen.

Roedd Arthur yn un o fil. Defnyddiodd ei ddoniau fel athro, awdur, bardd a bragwr cwrw a braint o'r mwyaf i mi oedd cael bod yn was priodas iddo ef ac Olwen ac yn ffrind am dros hanner canrif.

*Arthur yn yr Ardennes yn nodi
fod dau lestr ar y bwrdd o'i flaen.*

*Arbrofi gyda dulliau eraill
o gyfri.*

Gyda'r camperfan yn yr Ardennes.

Un o fy ffrindiau gorau

RUSSELL THOMAS yn falch – ac yn ddiolchgar – bod Arthur yn gyfaill iddo

Roedd Arthur yn un o fy ffrindiau gorau yn ein dyddiau coleg yn Abertawe, ac yn bresennol ym mhriodas Ann a minnau bron hanner canrif yn ôl. Ry'n ni'n dal i ddefnyddio'r set goffi Portmeirion hardd a gawsom ganddo'n anrheg priodas, ac yn ei thrysori'n fwy nag erioed erbyn hyn.

Mae gennyf atgofion hapus iawn o gwmnïaeth ddifyr a chyfeillgarwch annwyl Arthur yn y coleg. Treuliasom oriau maith yn chwarae snwcer gyda'n gilydd, a chyda John Roberts o Ddinas Mawddwy, ac yn colli sawl darlith, mae arna i ofn, er mwyn cael 'jest un gêm arall'. Nosweithiau hir yn Nhafarn y Rhyddings wedyn yn cyfnewid hanesion am ein magwraeth, a minnau wrth fy modd yn dysgu am hanes cyfoethog Penmachno, ac am gariad angerddol Arthur at ddiwylliant a thraddodiadau'r fro honno. Roedd yn storïwr penigamp, ac yn ein swyno â phortreadau byw o gymeriadau'r ardal. Ac yn rhoi hanes ambell ymwelydd hefyd. Rwyn cofio rhyfeddu at ei storïau am gysylltiadau'r comedïwr Ken Dodd, a ddaeth yno fel ifaciwî, â'r ardal.

Roeddwn i yn byw adre ar fferm fy rhieni yn Llysnini, Pontlliw, yn fy nghyfnod yn y coleg. Bu Arthur a chyfeillion eraill o gymdeithas Gymraeg y coleg yn ymwelwyr cyson â'r fferm, ac fe gafwyd sawl noson lawen hwyliog iawn ar ein haelwyd, ac Arthur yn ei chanol hi bob tro gyda'i ganu brwdfrydig. Fe allai Arthur fod wedi gwneud ffermwr deche. Fe drodd ei law, ar sawl nos Sadwrn, i helpu gyda'r godro er mwyn i mi orffen y gwaith hwnnw mewn pryd i fynd mas wedyn gyda gweddill y criw.

Bu ei hen fan GPO yn handi iawn pan oedd angen ein cludo ni i wahanol ddigwyddiadau i ffwrdd o Abertawe. Flynyddoedd yn diweddarach, fe fwynheais noson fywiog yng nghwmni Arthur a'i ffrindiau yn ei barti stag ym Metws-y-coed. Rwy'n chwerthin yn aml am yr adeg, tua un ar ddeg ar y nos Sadwrn honno, pan ddaeth y plismon lleol i fewn i'r dafarn, tynnu llenni'r ffenestri yn glos at ei gilydd, a throi atom ni gyd a'n rhybuddio 'Rŵan ta hogia. Peidiwch a chanu'n rhy uchel, rhag ofn i'r 'visitors' sylweddoli eich bod yn yfed ar ôl amser'.

Blwyddyn neu ddwy yn ddiweddarach, a minnau'n gweithio yn y Swyddfa Amaeth yng Nghaernarfon, bu'n rhaid i mi fynd i siarad â ffermwyr Ysbyty Ifan am un o gynlluniau grantiau'r llywodraeth. Doedd y cynllun ddim wrth eu bodd o gwbl, a minnau'n disgwyl cyfarfod anodd iawn. Cyn dechrau ar fy sylwadau swyddogol, mynegais y gobaith y byddwn i'n cyrraedd adre y noson honno yn gynharach na wnes i ar un o'r troeon diwethaf y bues i yn yr ardal – sef ym mharti stag Arthur Thomas. Aeth pawb i chwerthin, ac fe gefais groeso cynnes a gwrandawiad bonheddig iawn am weddill y cyfarfod!

Er nad oeddwn mewn cysylltiad cyson ag Arthur yn ddiweddar, fe gawsom sgyrsiau hir yn y rhan fwyaf o Eisteddfodau Cenedlaethol ar hyd y blynyddau. Mae'n dristwch i mi na welais i mohono fe yn Llanrwst, a felly colli'r cyfle am un seiat olaf. Rwy'n ddiolchgar, fodd bynnag, i ni gael sgwrs hir iawn ar y ffôn rhyw flwyddyn yn ôl, pan ffoniais i'w ganmol am ei erthyglau yn y Cymro, am ei gadeiriau eisteddfodol, ac am ei lyfr o deyrngedau i Ieu Rhos, un arall o'n ffrindiau coleg a'n gadawodd yn llawer yn rhy gynnar. Buom yn sgwrsio am dros awr, yn atgoffa ein gilydd am anturiaethau dyddiau coleg, ac yn rhoi y byd yn ei le yn gyffredinol. Fe siaradodd yn annwyl iawn am Olwen, a chyda balchder amlwg ond dirodres am yrfa Elen.

Roedd Arthur wedi cael ei lwyddiannau llenyddol, wedi teithio'n eang ac elwa o'r profiad, wedi ysbrydoli cenedlaethau o ddisgyblion ysgol, wedi rhoi arweiniad blaengar yn ei gymunedau – ac eto wedi cadw ei naturioldeb, ei ddidwylledd a'i agosatrwydd. I roi iddo'r ganmoliaeth orau y gall unrhyw un ei derbyn gan bobl Cwmtawe – roedd Arthur yn *genuine*.

Fe fu'n fraint i gael ystyried Arthur yn gyfaill. Coffa da amdano.

Artist y fan goch

WIL MORGAN yn cofio am daith hynod . . .

Paentio'r Byd yn Wyrdd oedd y nod i nifer fawr ohonon ni yn ystod y chwedegau. Arwyddion ffyrdd oedd yn ei chael hi gan amlaf ond yn achos Arthur Morgan Thomas, un o hen faniau Swyddfa'r Post gafodd liw newydd sbon, a hynny hefo pot o baent gwyrdd a brwsh! Roedd Arthur wedi gorfod gwneud cynnig swyddogol amdani drwy lythyr ac, er syndod mawr iddo, cafodd ei gynnig o ddecpunt ei dderbyn!

Gwelwyd y fan yn gyson mewn protestiadau ar hyd tymor Nadolig 1966 ac ar ddiwedd tymor y coleg yn Abertawe, y fi oedd y nafigetor wrth ochor Arthur tra'n cychwyn adra i'r gogledd am wyliau. Roedd hi'n ganol y p'nawn arnon ni'n cychwyn ac mi aeth y siwrna'n ddi-lol ac yn llawn straeon a chwerthin nes inni gyrraedd Llanrhystud yn fuan ar ôl iddi dywyllu.

Jest cyn inni gychwyn dringo allan o'r pentre, fe stopiodd y fan yn stond. Doedd 'run ohonon ni'n fecanic, ond roedd hi'n amlwg wrth edrych dan y bonat fod y ffan-belt wedi torri! 'Roedd Llanrhystud fel y bedd, a dim help wrth law, felly roedd rhaid defnyddio tipyn o grebwyll. Roeddwn i'n cofio darllen rhywle fod pâr o deits yn gallu gweithio dros dro, ond gan fod 'run o'r ddau ohonon ni'n eu gwisgo nhw bu'n rhaid meddwl am rywbeth arall. 'Sgin ti dei yn y bag 'na Wil?' gofynnodd Arthur. Y dyddiau hynny roeddan ni'n gwisgo tei weithiau. Gosodwyd y tei yn lle'r ffan-belt a'i glymu'n dynn, ac fe aeth â ni dros y bryniau rhywsut i Lanfarian. Roedd y garej yno'n dal yn agored, a diolch i'r drefn, roedd ganddyn nhw ffan-belt newydd addas!

Ymlaen â ni dan ganu ac mi aeth popeth fel wats nes inni droi oddi ar yr A487 yng Ngellilydan. Erbyn hyn roedd Arthur wedi penderfynu ei bod hi'n rhy hwyr i fynd â fi adra i Lanfairfechan a'n bod ni'n anelu am Benmachno. Cyn inni gyrraedd Llan Ffestiniog gwyddai am ffordd gefn i osgoi mynd drwy'r pentref. Roedd y gwrychoedd yn uchel ar bob ochor yno ac wrth inni droi'r gornel gyntaf roedd lluwchfeydd anferth, esgyrn eira, yn llenwi'r ffordd o'n blaen.

'Well inni droi yn ôl, Arthur,' meddwn i. 'Na,' medda yntau. 'Fyddwn ni'n iawn siŵr, awn i drwyddo fo!' Ac i mewn â ni i ganol yr eira a blaen y fan yn llwyr o'r golwg!

'Wel, be nawn ni rwan Arthur?' meddwn i. 'Ffonio Dad!' medda yntau'n syth. Y dyddiau hynny roedd ciosg ffôn ar gornel y ffordd ac fe ffoniodd Arthur adra a gofyn am gymorth. Doedd Richie ddim yn rhy hapus, dwi'n cofio. 'Be sy' arnat ti Arthur? 'Da ni newydd basio'r ardal yna mewn bws ar y ffordd adra o gyngerdd hefo'r côr yn Nolgellau!'

Beth bynnag am hynny fe ddaeth Richie a'i gyfaill â chlamp o raff gref i dynnu'r fan werdd allan o'r eira. Ac mi gefais innau'r fraint fawr o gael cyfarfod Richie a Mai, mam Arthur, am y tro cyntaf, a chael croeso cynnes iawn ar yr aelwyd ym Mhenmachno.

Mae'r atgof am y siwrna yna'n glir iawn yn fy meddwl i heddiw, ymhell dros hanner can mlynedd yn ôl. Ar y ffordd i angladd Arthur mi benderfynais i ddilyn y ffordd yna eto am y tro cyntaf ers y noson ddramatig honno yn 1966. Roedd yr atgofion am ei hiwmor a'i gyfeillgarwch heintus yn llifo'n ôl wrth imi yrru yn gwbwl ddidrafferth ar hyd y ffordd gefn honno.

Yr athro ifanc

GETHIN CLWYD yn cofio athro pur wahanol

Dwi'n credu mai ym Medi 1970 y daeth Arthur yn athro i Ysgol Morgan Llwyd. Roedd yr ysgol yn un eitha diweddar ac roedd hynny'n golygu bod yna griw o athrawon newydd yn cychwyn bob blwyddyn. Gan mai'n syth wedi cwblhau ei gwrs ymarfer dysgu y daeth Arthur yno, doedd o ddim llawer hŷn na'r disgyblion hynaf yn yr ysgol. Roedd yn athro poblogaidd o'r dechrau un gyda'r gallu a'r amynedd i ymresymu gyda disgyblion anystywallt fatha fi. Roeddem yn tynnu ei goes am ei fop o wallt coch a'r farf fylchog!

Mae nifer o'r disgyblion yn cofio'n dda cael mynd i Eisteddfod yr Urdd yn y de fel grŵp pop. Arthur oedd wedi eu dysgu, er nad oes gen i gof ei weld o ei hun mewn grŵp pop erioed. Cân am fuwch oedd hi, dwi ddim yn sicr ai y fo oedd biau'r geiriau, cân blues os dwi'n cofio'n iawn. Roedd gan Arthur gysylltiadau da ac roedd wedi llwyddo i gael Gruff Miles i helpu'r criw.

Roedd o'n athro Bywydeg arnaf ac fel rhan o'r cwrs Bywydeg Dynol roeddem yn cael ymweld â gwaith trin dŵr Llyn Alwen. Roedd criw bach ohonom wedi methu'r trip cyntaf felly dyma Arthur yn penderfynu mynd â ni yn y fan, Austin A35 dwi'n meddwl. Wnaethon ni ddim cyrraedd Cerrigydrudion a ddim hyd yn oed Bwlchgwyn. Roedd olwyn flaen y fan, gan gynnwys yr echel, wedi disgyn i ffwrdd yng nghanol tref Wrecsam! Rwy'n siŵr na fyddai athrawon heddiw ddim yn cael cludo plant mewn cerbyd o'r fath.

Roedd o'n athro teg iawn ac yn un oedd o flaen ei amser, doedd o ddim yn dyrnu plant a chlywais i 'rioed am neb yn cael cweir ganddo.

Cawsom gyfnod o chwarae rygbi yn yr ysgol a dyna pryd y cefais y profiad cyntaf o wrthwynebu Arthur yn y rheng flaen pan oeddem yn ymarfer yn erbyn tîm o athrawon ar ôl ysgol. Bu i mi chwarae yn ei erbyn ar nifer o achlysuron wedyn efo Clwb Rygbi Dinbych pan oedd yntau'n chwarae i Bro Ffestiniog ac wedyn i Nant. Roedd yn brop cadarn a chryf a oedd hefyd yn gwmnïwr hwyliog yn y cymdeithasu wedi'r gêm, boed hynny yng nghanol y canu neu'n tynnu coes ac yn adrodd straeon. Roedd yn gymeriad adnabyddus a phoblogaidd iawn yng nghylchoedd rygbi'r mil naw saith degau a'r wythdegau ac mae gan lawer i hen chwaraewr fel fi ag atgofion difyr a hoffus ohono.

'Iechyd da . . . diolch . . . a ffarwél'

GERALLT TUDOR a hanes taith y tu hwnt i'r Llen Haearn

'Sgin ti awydd trip i Rwsia?' gofynnodd Arthur i mi un dydd a ninnau'n cerdded un o fynyddoedd Eryri. Mai '83 oedd hi ac roeddem yn mynd i'r mynyddoedd yn eithaf aml; ffôn ar nos Sadwrn neu fore Sul, 'Sgin ti awydd mynd i gerdded?' ac wedyn cychwyn tuag at un o'r copaon yn y p'nawn 'pan fo'r Saeson yn dod lawr', fel y byddai Arthur yn ei ddweud, i gael y mynydd i ni'n hunain. Swper wedyn yn y caffi yng Nghapel Curig ac adre – tan y tro nesaf.

Roedd trip i Rwsia'n apelio. Yn wir, roedd unrhyw drip i unrhyw le'n ddeniadol. Buom eisoes sawl tro i Gaerdydd, Caeredin, Dulyn a Llundain yn dilyn y rygbi; Lorient gyda bysus James Llangeitho i'r Gyngres Geltaidd; Llydaw yn van Moskvich Gruff Miles; Tsiecoslofacia yn dilyn olion y Celtiaid, felly Rwsia? Pam lai?

Yn y *Morning Star* y gwelodd Arthur yr hysbyseb am y daith i Rwsia, ac ar ôl sôn am y gwyliau wrth amryw o ffrindiau daeth saith ohonom ynghyd, sef Arthur a minnau, Ieu Rhos, Clwyd Ellis, Jack Lloyd, Alun Blaen Iâl a Steffan ab Owain.

Roeddem i gyfarfod bws yn Huddersfield ond, cyn hynny, roedd angen cyrraedd yno o wahanol gyfeiriadau. Cychwyn y daith i Alun a minnau oedd ymadael â'i gar Lancia Fulvia yn iard sgrap Rhiwabon ger craen mawr a'r peiriant gwasgu metel yn crynu ac yn rhuo wrth i'r cyrff cywasgedig ymwthio allan o'r twll tîn hydraulic. Roedd fel golygfa allan o ffilm James Bond wrth i ni gerdded i ffwrdd, heb unwaith edrych yn ôl. Aeth Ieu â ni i orsaf Wrecsam a daeth gweddill y criw ar y trên yng Nghaer, ac ymlaen â ni am Huddersfield.

Doedd y bws ddim i gyrraedd tan ganol nos ac felly aethom am gyri ac wedyn i glwb caib a rhaw cyfagos i sgwrsio, dadlau a chael peint. Erbyn i'r bws gyrraedd roeddem i gyd wedi cael ambell ddiferyn ond bu Jac ddigon hirben i weld can oel coginio gwag a dod a hwnnw ar y bws – rhag ofn! Ac yn wir, erbyn cyrraedd Llundain, roedd y can fel y botel yng nghân Max Boyce *'that once held bitter ale'* yn orlawn! Roeddem i gyd mewn hwyliau da ac yn siaradus – i'r fath raddau fel y bu apêl i ni ymdawelu, er mwyn i bawb gael cysgu.

Yorkshire Tours oedd yn trefnu'r daith ond yn ôl Arthur, Sid oedd Yorkshire Tours – gŵr tal, cefnsyth dros ei bedwar ugain gyda gwallt brith a chomiwnydd o argyhoeddiad. Ar ôl ymddeol o'i waith gydag Undeb y Gweithwyr Tân (F.B.U.) roedd yn trefnu teithiau i'r gwledydd comiwnyddol. Gwyliau oedd y disgrifiad a roed arnynt ond, mewn gwirionedd, roeddent yn addysg cymaint ag oeddent yn wyliau. Teithiodd Sid gyda ni, gan sôn am weledigaeth Lenin, pwysigrwydd y werin datws, dioddefaint y wlad dan y Tsar ac wedyn adeg yr Ail Ryfel Byd pan fu farw dros ugain miliwn o bobl Rwsia.

Manylion y daith oedd bws o Huddersfield i Budapest, trên i Leningrad (St Petersburg), aros yno am rai dyddiau, ymlaen ar y trên i Murmansk, aros yno ac wedyn yn ôl i Leningrad cyn dychwelyd adref yr un ffordd.

Roedd angen i ni gyrraedd Budapest mewn llai na dau ddiwrnod o deithio, pellter o dros 1200 milltir, felly 'doedd dim amser i aros mewn caffi. Yn hytrach, cynghorwyd ni i ddod â bwyd a diod am y daith gyda ni. Prynodd Arthur a minnau ddwy botel o win yr un ar y cwch ac fe brynodd Ieu a Clwyd vodka (eu hoff fwyd) i fyrhau'r siwrne. Fe wagwyd y poteli, er poen i rai pobl. 'O God, can't you shut up? You're driving me berserk! Can't you leave it till morning,' meddai rhyw wraig y tu ôl inni. Roedd Arthur a minnau'n rhyw fwmian canu, gan anghofio'r geiriau'n amlach na pheidio. Wedi ambell i reg, bu tawelwch.

Carlamodd y milltiroedd ac fe aeth y noson rhwng y trafod, y canu, y meddwi a'r cysgu – a deffro 'chydig dros y ffin yn Awstria. Cawsom frecwast mewn caffi cyn Vienna a chyrhaeddwyd Budapest ganol p'nawn. Taith ar draws chwe gwlad, chwe diwylliant a chwe iaith mewn llai na deuddydd.

Gan fod gennym rai oriau i aros cyn dal y trên i Leningrad, aeth Arthur a rhai ohonom draw at y castell ar y bryn ar draws yr afon. Dewisodd Steffan aros yn yr orsaf. Adeiladwyd y castell cyntaf yn y drydedd ganrif ar ddeg ac fe'i helaethwyd yn y bymthegfed ganrif ac eto yn y ddeunawfed. Roedd yn safle ardderchog i'r brenin gadw llygad ar ei bobl a'i elynion ond erbyn hyn ymwelwyr sydd yn arsyllu ar ysblander yr adeiladau a chlytwaith y ddinas a'r afon islaw.

Erbyn inni gyrraedd yn ôl i'r orsaf, be' welem ond Steffan yng ngofal dau heddwas ac ar fin cael ei hebrwng i swyddfa'r heddlu. Dydy'r stori ddim yn glir o hyd ond fe lwyddom i ddarbwyllo'r heddlu y byddem ni'n gofalu ei fod yn gadael Budapest cyn diwedd dydd ac na fyddai dim helynt!

O'r diwedd roeddem ar y trên ac yn edrych ymlaen at noson o gwsg. Byddem yn treulio dwy noson ar y siwrne o Budapest i Leningrad. Ond ymhen dim, stopiodd y trên. Roeddem ar y ffin â Rwsia a rhaid oedd dangos ein papurau i'r swyddogion oedd yn archwilio'r trên. Yr un pryd, codwyd y trên cyfan oddi ar ei olwynion, eu tynnu oddi yno a daeth setiau newydd o bôgis i gymryd eu lle. Roedd trac y rheilffordd yn Rwsia yn lletach na rheilffyrdd Ewrop. Cwblhawyd hyn i gyd mewn llai na hanner awr, er syndod i ni.

Pedwar i bob compartment oedd y drefn, gyda dau wely bync oedd yn plygu o'r ffordd a dau wely ar y seddau. Ym mhob cerbyd roedd samovar, sef boiler te a'r gofalwr yn gweini'r te gwan di-laeth am ychydig kopek a childwrn. Roedd gweddill y cerbydau o gynllun agored a'r seddau o estyll cul o bren. Rhaid oedd i bawb o'r teithwyr yno ddod â'u dillad gwely eu hunain a bwyd i'r daith. I ni, fel ymwelwyr, y restaurant ym mhen arall y trên oedd y lle i gael bwyd a diod. Buan y darganfu Arthur fod y champagne pinc yn rhad ac yn dda, a mawr oedd y gweiddi a hwyl y gweinyddesau cryf a bronnog pan welent ni'n dod draw eto – ac eto!

Roedd y siwrne faith yn agoriad llygad inni. Yma, mesurwn

taith mewn oriau, a gwelwn Caerdydd yn bell o Ogledd Cymru. Ond yn Rwsia, gwell yw mesur taith mewn dyddiau; mae'r wlad mor enfawr.

Wrth deithio drwy Latfia ac Estonia gwelem gaeau ŷd yn ymestyn hyd y gorwel a theisi anferthol o fyrnau gwellt. Ond weithiau, gydag ymyl y rheilffordd, roedd llain cul, hwyrach ugain llath o led, yn cael ei drin fel cae gwair gyda phladur a chribyn ac ambell i hulog yno. Roedd y gwrthgyferbyniad rhwng y traddodiadol a'r cyfoes, y gwerinol a'r gwladwriaethol, yn drawiadol iawn. Yn y gwledydd hyn, safai milwr wrth bob twnel a phont; awgrym, hwyrach, fod llywodraeth Rwsia yn ofni cenedlaetholdeb Latfia ac Estonia, rhywbeth na wyddem ddim amdano.

Doedd y trên ddim yn aros yn unlle lawer o gwbl ond cawsom fynd allan yn Vilnius i'r orsaf a chael bwyd yn y restaurant helaeth yno. I mi, fel llysieuwr, doedd na fawr o ddewis – dim dewis o gwbl, a dweud y gwir, roedd cig efo popeth.

Wrth agosáu at Leningrad gwelem dai gwydr di-rif, i gyd i'm tyb i, yn tyfu tomatos! Fel y gwelwyd yn ddiweddarach, dim ond tomatos, letys, bresych a thatws fwy neu lai oedd ar gael i lysieuwr. Dywedodd Arthur ac Alun mai'r pryd gorau o'r holl daith oedd y brecwast a gafwyd yn Awstria ar y ffordd yn ôl wedi pythefnos o fresych, tatws a chig dafad – beans, sosej, cig moch a bara wedi ffrïo. Bendigedig!

Ar gyrion y ddinas roedd rhesi o garages i'r trigolion oedd ddigon cefnog i fod yn berchen car. At ei gilydd, ychydig o geir oedd ar y strydoedd a dim garej i werthu petrol. Wrth fynd ar hyd y ffordd ddeuol lydan at ein gwesty ar ymylon y ddinas roeddem yn mynd heibio degau o flociau o fflatiau ac yn aml byddai yno gynffon o bobl yn aros wrth drelar tebyg i drelar slyri. Erbyn deall, cwrw oedd ar werth yno. Diod ysgafn oedd cwrw yn Rwsia.

Yn y gwesty, adeilad modern digymeriad, cawsom lety digon cyffordus a dau far, un i ymwelwyr oedd yn medru talu mewn punnoedd neu ddoleri. Roedd vodka Rwsia yn llawer mwy blasus na vodka Lloegr a mawr oedd yr hwyl. Bu dadlau a thrafod brwd am genedlaetholdeb gyda rhai o'r Saeson oedd ar y trip ond methodd Arthur â'u darbwyllo nad oedd pawb eisiau bod yn Sais neu Brydeiniwr.

Roedd Sid yn eiddgar i'n tywys o gwmpas y ddinas a dangos safleoedd fu'n bwysig adeg y chwyldro a'r Ail Ryfel Byd. Gwelsom y llong ryfel Aurora a daniodd ergyd fel arwydd i'r Bolsieficiaid ymosod ar Balas y Gaeaf. Hyn oedd cychwyn chwyldro 1917. Buom mewn mynwentydd ac eglwys, opera a siopau. Ar Nevski Prospekt, y brif stryd, roedd un siop fawr iawn. I brynu, rhaid oedd ymuno â chiw i weld yr eitem, wedyn ciw arall i archebu, ciw i dalu, ac un arall i dderbyn yr eitem - tebyg iawn i Argos, ond heb y catalog.

Yn yr eglwys gadeiriol, a oedd bellach yn amgueddfa gan nad oedd croeso i grefydd, (syniad da, meddai Arthur) gwelem blymen yn crogi o ben y tŵr uchel i ganol y llawr ond oherwydd crymedd wyneb y byd, roedd y blymen yn gwyro ychydig o'r canol.

Yr Aurora, *Leningrad*

Soniodd Sid am ddioddefaint a gwarchae'r ddinas am dros ddwy flynedd adeg rhyfel, gyda miliwn a hanner yn marw o newyn a bobl yn bwyta llygod mawr. Cymaint oedd prinder blawd fel bod llwch lli hanner a hanner â blawd i wneud torth o fara. Dim ond yng nghanol gaeaf y gallai unrhyw nwyddau gyrraedd y ddinas ar draws rhew Llyn Ladoga.

Yn amgueddfa'r Hermitage, adeilad enfawr a hardd ei bensaernïaeth yn fewnol ac allanol gyda grisiau crand ac addurniadau euraid ymhobman, roedd stafelloedd llawn trysorau celf. Gormod i'w weld, mewn gwirionedd, ac Arthur yn gwaredu at y cyfoeth a gasglwyd gan y teulu brenhinol – y diawled! Roedd y profiad o weld llun go iawn gan Picasso yn dra gwahanol i weld yr un llun mewn llyfr. Mewn un llun gan Manet, y cyfan a welwn gyntaf oedd llwydni ac yna, yn araf, daeth pont a chwch i'r golwg allan o'r niwl. Dyna grefft!

Roedd gennym ddigon o amser rhydd i grwydro fel y mynnem a chawsom ein siarsio ei bod hi'n werth gweld pont fawr ar yr afon yn cael ei chodi i ganiatáu i'r cychod fynd heibio. Min nos oedd hyn i ddigwydd ac felly aethom lawr at y bont a'i chroesi i ryw far oedd heb fod ymhell i dorri syched a disgwyl. 'Waeth i ni gael un arall,' meddai Arthur.

Ac fe aeth yr un arall yn ddau ac yn dri. Erbyn i ni ddod allan, roedd y bont i fyny, a ninnau ar yr ochr anghywir i'r afon i fedru dychwelyd i'r gwesty. Doedd dim amdani ond mynd yn ôl i'r bar, oherwydd byddai'r bont ar agor ymhen yr awr. Aeth awr, dwy awr, tair awr heibio a'r bont dal i fyny. Caeodd y bar a bu raid i ni sefyll ar y stryd. Roedd hi wedi oeri a ninnau wedi sobri o sylweddoli ein sefyllfa. Awgrymodd Arthur ein bod yn gwasgu mewn i giosg ffôn i gadw'n gynnes fel pengwiniaid, ond doedd dim lle i bawb. Cafodd syniad arall wedyn. 'Beth am ordro tacsi. Mi gawn eistedd ynddo a chael lifft yn ôl pan agorith y bont.' A dyna fu. Ond bu raid i ni aros tan bump o'r gloch y bore cyn i ni fedru croesi'r bont. Noson i'w anghofio!

Daeth yn amser ffarwelio dros dro â Leningrad ac ymuno a'r trên eto ar daith dros nos i Murmansk, y dref fwyaf o fewn y Cylch Arctig. Taith hir a digon diflas oedd hi, gyda dim i'w weld drwy'r ffenast ond coed, milltiroedd ar filltiroedd o goed pîn. Fe gawsom lawer i gêm o gardiau, sgyrsiau, rhannu straeon a diodydd ac o'r diwedd dyma gyrraedd Murmansk ac i ffwrdd a ni i'r gwesty.

Gan fod Murmansk yn gartref i lynges Rwsia roedd gwaharddiad llwyr ar dynnu lluniau. Yn 1916 y sefydlwyd y dref, a hynny yn bennaf oherwydd fod y porthladd yn rhydd o rew gydol y flwyddyn. Yn ystod yr Ail Ryfel Byd dim ond confoi'r Arctig oedd yn llwyddo i ddanfon nwyddau i Rwsia. Bu Sid yn pwysleisio pwysigrwydd y porthladd a natur gydweithredol y werin yno. Ymwelwyd â meithrinfa i ddangos mor flaengar oedd y drefn gomiwnyddol yn hwyluso cyfle i ferched fynd yn ôl i'w gwaith.

Fin nos, aethom i glwb nos prysur ac eistedd yno ogylch byrddau mawr ac ordro diodydd. Wrth ymyl roedd llond bwrdd o filwyr yn mwynhau. Rhywsut, fe gychwynnodd Arthur a minnau sgwrsio â nhw gan bod un neu ddau ohonynt â gafael go dda ar y Saesneg. Doedd ganddynt ddim syniad am Gymru ond fe ddywedon ni wrthynt mai gwlad fach heddychlon o dan orthrwm Lloegr oedd Cymru ac y dymunem fod yn rhydd i sefydlu ein gwladwriaeth ein hunain. Roeddem eisoes wedi trafod Afghanistan â nhw a gofyn pam fod Brezhnev wedi gyrru milwyr yno. 'Gwerin Afghanistan oedd wedi gofyn am gymorth gennym,' meddent.

Gwerin Cymru ydan ni,' medde ni. 'Ddowch chi draw i'n helpu i gael gwared o Mrs. Thatcher?"

'O na!' oedd yr ateb 'Da ni ofn Mrs Thatcher!'

Roedd hi wedi bod yn noson hwyliog a difyr ac fe wahoddwyd un o'n cyfeillion newydd i ddod draw i'r gwesty i barhau â'r sgwrs. Tu allan i'r clwb fe ganwyd Hen Wlad fy Nhadau gydag arddeliad – Arthur yn gwisgo cap y milwr a minnau yn ei gôt fawr. Ond galwyd ein ffrind draw at blisman cyfagos a welson ni mohono wedyn. Mae'n amlwg fod llygaid ymhobman. Profiad rhyfedd oedd cerdded nôl i'r gwesty yng ngolau dydd – a hithau bron yn ddau o'r gloch y bore.

Porthladd Murmansk

Taith llawn cyfeillgarwch, hwyl ac addysg oedd taith Rwsia. Ar ôl llawer *kaoroshye zdorov'ye* mae'n amser dweud *spasibo* Arthur, a *das vedanya*.

*Arthur ar dir fferm Hafod Ifan a rhaw fawn a luniwyd
gan Huw Sêl, y saer o Ysbyty Ifan.*

Yn ôl i Benmachno

*Cwmni Drama Penmachno, Gŵyl Ddrama'r Odyn 1979 –
Gwyndaf, Hefina, Arthur a Gwynfor*

Yr Odyn, Nant Conwy a llawer mwy

ERYL OWAIN

Er ei fod wedi cadw cysylltiad agos iawn â Phenmachno trwy gydol ei gyfnod yn y coleg a thra'n gweithio'n Wrecsam, cafodd y cyfle i ddychwelyd yno i fyw wedi ei benodi'n athro yn Ysgol Eifionydd ym Mhorthmadog ym Medi 1973. Treuliodd gweddill ei yrfa'n dysgu yno a bu'n ddylanwad pwysig ar sawl cenhedlaeth o blant, yn cyflwyno Gwyddoniaeth trwy gyfrwng y Gymraeg ac yn dylanwadu arnynt trwy ei Gymreictod naturiol a hwyliog. Roedd yn athro poblogaidd; fel y dywedodd un cyn-ddisgybl, 'Roedd hyd yn oed y plant oedd yn casáu'r ysgol yn hoffi Cuddly Joe'!

Chwaraeodd ran amlwg iawn ym mywyd cymdeithasol a diwylliannol Penmachno a'r ardal ehangach. Roedd yn un o brif symbylwyr ail-sefydlu Eisteddfod leol y pentref, gyda'r naill ochr i'r llall o afon Machno'n cystadlu yn erbyn ei gilydd. Arthur oedd y trefnydd ac roedd yn gyfrannwr gwerthfawr yn llenyddol a cherddorol. Bu'n glerc cydwybodol iawn i'r Cyngor Cymuned am sawl blwyddyn. Aeth ati i gasglu llyfrau a phob math o bapurau yn ymwneud â hanes Penmachno ac i gofnodi straeon, chwedlau a chaneuon.

Ef oedd yn bennaf gyfrifol am sefydlu papur bro *Yr Odyn* yn 1975 ac ef a benodwyd yn Olygydd cyntaf. Gosododd stamp ei bersonoliaeth yn ddigamsyniol arno a sicrhau ei fod yn bapur gwerinol ei naws a ddaeth i chwarae rhan amlwg ym mywyd cymdeithasol ardal Nant Conwy. Fel y dywedodd Myrddin mewn penillion i'w gyfarch wrth iddo roi'r gorau i swydd y golygydd, a chyflwyno'r rhifynnau wedi'u rhwymo iddo,

Am ddegawd gwnaethost ddygyn
Aredig cwysi'r *Odyn*,
Yn hau a chwynnu'r papur bro
Fu'n prifio â phob rhifyn.

Di-lol dy steil, di-rodras,
Rhyw sgwrs a phrocio cynnas
A hwyl gartrefol, ia, bid siŵr,
Yw pictiwr dy gymdeithas.

Mi gedwaist stamp dy ardal
Wrth annibynnol gynnal
A chadw'r papur hwn yn rhydd
O gorsydd 'run cymorthdal.

Rhwymedig yw'th lafurio
Ond rydym yn gobeithio
Nad yw y doniau gest cyhyd
I gyd ddim wedi'u rhwymo.

Dal ati i ysgrifennu,
Paid bod yn ddiarth fory
A gyrra bwt – rôl cael dy wynt –
Am hynt y wraig . . . a'r teulu.

A bu'n gyfle i ryw hen wag lunio limrig,

Ddeng mlynedd bu'n gweithio i'r Odyn
Yn tynnu coes pawb yn y dyffryn;
    Ond 'madawodd â'r fro
    A bellach bydd o
Yn tynnu ar ddim ond ei getyn.

Byddai penillion tynnu coes o'r fath – amryw, fel ag a
awgrymir, o waith Arthur ei hun – yn nodwedd o'r *Odyn* o'r

Cyn penderfynu canolbwyntio ar rygbi! Un o gartwnau gwych
Anne Lloyd Cooper – o'r Odyn, Mehefin 1977

dechrau a phe byddai rhyw dro trwstan yn tarfu ar rhywun, clywyd y bygythiad, 'Yn yr *Odyn* fyddi di'!

Wedi'r ail rifyn, daeth cwyn nad oedd y llythyren 'n' wedi ei dyblu mewn ambell air. Ymateb Arthur oedd penderfynu y dylid teipio'r canlynol:

Os collwyd 'N' yn rhywle mewn gair (neu eiriau) yn y papur hwn, cymerwch un o'r rhain: *NNNNN neu nnnnnnnnnnnnn.*

Roedd gweithgareddau eraill ynghlwm wrth *Yr Odyn.* Roedd Arthur yn bendant o'r farn na ddylid trefnu rhywbeth fel raffl neu Noson Goffi i godi arian, er mwyn osgoi cystadlu â chymdeithasau lleol a oedd eisoes yn ddibynnol ar ddulliau o'r fath. Yr ateb oedd meddwl am ddigwyddiadau nad oedd yn bod yn barod ac ychwanegu at weithgaredd cymdeithasol yr ardal mewn modd creadigol.

Felly aed ati i drefnu Ymryson Ffraethineb yn flynyddol, gyda thimau o wahanol bentrefi'r *Odyn* yn cystadlu yn erbyn ei gilydd i lunio penillion, i adrodd straeon ac i dynnu coes. Bu'r ymrysonau hyn yn boblogaidd iawn am nifer o flynyddoedd a felly hefyd y Cystadlaethau Pêl-rwyd a Phêl-droed pump bob ochr i blant ar gaeau Ysgol Dolwyddelan – er nad oedd codi arian yn rhan o'r chwaraeon.

Yn fwy na dim, sefydlwyd Gŵyl Ddrama'r Odyn. Dywedai Arthur nad ei syniad ef oedd hynny ond bachodd yn frwdfrydig ar y cynnig a byddai rhan helaeth o'r gwaith trefnu'n disgyn ar ei ysgwyddau ef ac ysgrifennydd *Yr Odyn*, Meri Williams, sydd yn dal y swydd ers pump a deugain o flynyddoedd! Cafwyd deg cwmni i gystadlu yn yr Ŵyl gyntaf yn 1978 ac am sawl blwyddyn wedyn roedd digon o gwmnïau – i gyd yn lleol – i gynnal gŵyl dros dair neu bedair noson gyda thyrfaoedd yn cyrraedd i aros eu tro hanner neu dri-chwarter awr cyn agor drysau Neuadd Betws-y-coed.

Gwelwyd Arthur ei hun ar y llwyfan gydag rhai o gwmnïau Penmachno a phan ddaeth yn amser dathlu deng mlynedd ar hugain yn 2008, ef a olygodd y gyfrol i nodi'r pen-blwydd. Codwyd miloedd i goffrau'r papur dros y blynyddoedd ac mae'r Ŵyl yn parhau i gael ei chynnal bob mis Chwefror.

Taniwyd ei ddiddordeb mewn barddoni a bu'n mynychu

Ymryson y Beirdd Plas Maenan 1979 –
Gwilym Bryniog, Dafydd Emrys, Dewi Tan-graig ac Arthur

dosbarthiadau cynganeddu R.E. Jones ym Melin-y-coed a Gwilym Tilsley ym Metws-y-coed, ymhlith criw o bobl ifanc eraill. Bu'n ymrysona a gosod y seiliau ar gyfer y llwyddiant y byddai'n ei fwynhau mewn eisteddfodau yn ddiweddarach.

Yn nhymor 1976-77 dechreuodd chwarae rygbi dros glwb Bro Ffestiniog, y clwb diweddaraf bryd hynny i'w sefydlu yng ngogledd Cymru. Hen gyfaill coleg iddo, y diweddar Merfyn Williams, oedd ysgrifennydd y clwb a chafwyd llawer iawn o hwyl yng nghwmni hogiau'r Blaenau a'r cylch tra'n gwisgo'r crys pen maharen. Yn rhyfedd ddigon, roedd yn rhaid teithio ymhellach o Benmachno i ymarfer yn Ysgol y Moelwyn nac oedd i gemau cartref Bro ar gaeau Pont-y-pant yn Nolwyddelan! Dyma ddisgrifiad Arthur ei hun o'r cyfleusterau ym Mhont-y-pant, o'r gyfrol *ABC, Y Bysiau a'r Haka Cymraeg*!

Yr oedd yr hen bafiliwn yng nghornel y cae a chyntefig iawn oedd y cyfleusterau ymolchi yn hwnnw – tywallt dŵr o gansen laeth i hen fath ar y dechrau cyn 'gwella'r' cyfleusterau pan osodwyd cafn plastig gyda dwy gawod yn syrthio iddo. Gan mai yr un dŵr oedd ar gyfer deg ar hugain o chwaraewyr, a'r rheiny wedi eu plastro efo mwd, ar gynfasau gwely mam y gorffennai pridd Pont-y-pant yn aml iawn erbyn bore Sul!

Does ryfedd y byddai'n well gan rai ymolchi yn nŵr oer ond glân afon Lledr gerllaw yn hytrach na dŵr oer ond budr y cwt newid.

Un o'i gyfeillion agosaf yn nhîm Bro oedd Tony Coleman, neu'r 'dyn glo' fel y byddai Arthur yn ei alw. Cofiai Arthur iddo lunio englyn i gofio am un digwyddiad anffodus,

Yn ystod gêm yn erbyn Porthmadog, fe dorrodd Tony asgwrn yn ei ffêr. Wyddai o mo hynny ar y pryd a daliodd ati i chwarae bachwr er ei fod mewn poen. Doedd yr englyn ddim yn un cofiadwy, ond rwy'n cofio'r llinell gyntaf, petai ond am ymateb Beryl, mam Tony. Fel hyn yr âi'r llinell:

Nant Conwy Ebrill 1980 – Arthur yw'r pumed o'r dde yn y cefn

'*Cafodd anlwc wrth hwcio.*'
Daeth Beryl ataf a gofyn beth ddywedais am Tony. Eglurais wrthi ei fod wedi torri asgwrn wrth fachu.
'O,' meddai. 'Ro'n i'n meddwl dy fod ti'n dweud ei fod wedi brifo wrth wneud rhywbeth arall!'

Ond, yn ogystal â'r ochr hwyliog, roedd yna ochr dyner a theimladwy i Arthur. Pan wynebodd Tony a Pam y brofedigaeth enbyd o golli merch, a Carys o golli chwaer, lluniodd englynion er cof am Bethan,

Liw dydd yn llonydd fel llen – hwn a ddaeth
Heddiw'n ddu i'r wybren;
Angau'n oer wrth ingo nen
Hualodd lewyrch heulwen.

Ergyd gynnar ddi-daran – un arw
Fu'n oeraidd ddiamcan;
I roddi llech a phridd llan
Am byth dros fwrlwm Bethan.

Yn landeg yn ei harddegau – ei gyrru
I'r gweryd wnaeth Angau;
I'w hedd aeth heddiw'n ddiau
Heb 'nabod gwlyb wynebau.

ac, ymhen blwyddyn, yr englyn hwn,

Ni lwyddodd treigliad blwyddyn – i herio'r
Du oriau, sy'n estyn
Heibio i gof wyneb gwyn
Yn hiraeth pob diferyn.

Cam naturiol oedd mynd ati i sefydlu Clwb Rygbi Nant
Conwy ac Arthur wrth gwrs yn ei chanol hi. Gêm gyfeillgar oedd
un gyntaf Nant, yn erbyn Bro ym Mhont-y-pant, ychydig cyn
Nadolig 1979 a'r ddau dîm felly'n rhyw fath o chwarae gartref y
diwrnod hwnnw. Colli fu'r hanes o 36 - 6, gyda phwyntiau Nant
yn dod o gais (pedwar pwynt bryd hynny) Myrddin ap a

Tîm y 'Gwylliaid Cochion' –
Saith Bob Ochr Clwb Rygbi Bro Ffestiniog, Ebrill 1978

throsiad Wyn Tŷ'n Pant.

Wedi chwarae ar ben tynn y rheng flaen yn bennaf dros Bro, daeth yn brop pen rhydd i Nant ac ef a benodwyd yn gapten tymor 1982-83. Dyma rai o'i atgofion o'r cyfnod hwnnw,

Roedd cael chwarae i'r clwb, ac yn wir, cael bod yn gapten arno yn anrhydedd i mi a chefais lawer o hwyl hefyd o'r cymdeithasu sy'n rhan annatod o unrhyw glwb llwyddiannus. Pwy sy'n cofio'r tric chwaraewyd ar Ted a Gari yn Ninbych a'r ddau wedi prynu sgidiau Adidas newydd sbon a hynny yn ystod helynt rhwng yr Undeb a'r cwmni hwnnw. Cyn y gêm cafodd Myrddin air efo'r reff a dyma hwnnw'n dweud wrthynt fod yn rhaid cuddio'r streips melyn ar y sgidiau. Pawb yn chwerthin wrth eu gweld yn rhwbio mwd i guddio'r melyn!

Roedd enwau chwaraewyr, eu ffermydd a'u hardaloedd yn creu dryswch i sawl tîm. Cofiaf Marc a Gari, y ddau frawd yn neidio yn y llinell, y ddau yn feibion i Gordon, mab Dafydd Menyn. Dychmygwch y dryswch ymysg blaenwyr Abergele pan waeddais y côd 'MarcGordonDafyddMenyn'. Ianto (bachwr o Lanelli) wedyn yn edrych yn hurt wrth glywed yr alwad 'Esgair Ebrill' – doedd ganddo ddim syniad lle i daflu'r bêl!

Yr un Ianto aeth i lawr i Gaerdydd i weld gêm gyda rhai o hogiau'r clwb gan gyfeirio'r car am *The South* ond cyrraedd cyrion Llundain yn lle De Cymru.

Mae gan Myrddin ap Dafydd atgofion clir o daith dramor gyntaf Nant Conwy i ogledd Swydd Efrog yn 1985.

Ar y cyfan, roedd yr ymddygiad yn debyg i'r hyn fuasech chi'n ei ddisgwyl petaech chi'n agor drws pob caej yn Sw Bae Colwyn a gollwng y pethau gwylltion i gyd yn rhydd. Oherwydd sawl camddealltwriaeth, cafwyd nifer o gyfarfodydd gyda gwahanol shifftiau o Heddlu Swydd Efrog ar y trip hwnnw.

Digwyddodd yr achos cyntaf yn union wedi croesi'r ffin i'r sir a hynny yn cael ei ddathlu drwy ymweliad â'r dafarn gyntaf y daethom ar ei thraws. Bar bychan oedd yno a doedd dim gwên groesawgar ar wyneb y tafarnwr i ddeugain o Gymry. Dechreuodd y canu. 'No singing allowed in this pub!' gwaeddodd y tafarnwr. Dan arweiniad Arthur, penderfynwyd cydadrodd – ac aed ati i gydadrodd 'Calon Lân' gydag arddeliad. Doedd hynny ddim yn plesio chwaith, ond gan nad oes yna air Saesneg am 'gydadrodd', doedd ganddo mo'r eirfa i'n hatal ni. Galwodd am gymorth yr heddlu. Wrth hel y cydadroddwyr yn ôl i'r bys, cyfaddefodd yr heddwas mai hwnnw oedd y tafarnwr mwyaf croes yn y sir i gyd.

Ben bore Sul daeth dyn y gwesty â dau heddwas i mewn i'm llofft i am mai honno oedd y llofft gyntaf ar y llawr cyntaf. Y cais oedd imi eu tywys i'r deg llofft lle'r oedd chwaraewyr Nant yn cysgu am eu bod wedi cael cwyn gan berchennog tŷ bwyta Indiaidd fod yr hogiau wedi bachu chwech o gotiau croen dafad gwerthfawr, ac roedd gan yr heddlu le i gredu eu bod nhw rywle yn ein llofftydd ni.

Doedd hynny ddim yn broblem. Roedd drws pob llofft yn llydan agored. O wrando ar sŵn y chwyrnu, roedd modd dod i'r casgliad bod pump neu chwech ym mhob llofft – rhai yn gorwedd ar lawr, ambell wely dwbwl yn wag a rhai yn cysgu dri mewn gwely sengl. Doedd dim llawer o amser wedi'i wastraffu ar ddadbacio yn amlwg gan fod y rhan fwyaf o gynnwys y bagiau teithio ar y gwlâu ac ar lawr.

Ar ôl rhoi'u pennau mewn rhyw bedair llofft, heb weld arlliw o gotiau croen dafad nac o bajamas chwaith, cwestiwn y sarjant i mi oedd,

'Ah ask thee, does everybody in Wales sleep with their boots on?'

'It's an old tradition,' meddwn innau, 'in case there is an English attack during the night.'

Yn y llofft olaf roedd Arthur yn cysgu, a hynny heb ei

sbectol. Deffrodd pan glywodd y swyddog yn ei holi am y defaid colledig. Craffodd Arthur ar yr iwnifform oedd yn nofio uwch ben ei wely.

'Who are you?' gofynnodd.

'The police,' oedd yr atebiad swyddogol.

'O,' meddai Arthur. 'Pop group are you?'

Ar wal y llofft honno roedd llun o geffyl. A chan mai Elis oedd enw'r ceffyl, daeth y llun yn ôl i Benmachno yn anrheg i'w gyfaill, Clwyd Êl.

Prin bod angen dweud fod Arthur yn aelod poblogaidd o glwb Nant ac yn ganolbwynt i'r hwyl a'r sbri wedi'r gêmau. Cofia Ken Bryn Ddraenen iddo ef ac Arthur fod yr olaf i droi am adref wedi gêm ym Mhorthaethwy un tro ond, fel roeddynt yn cyrraedd y drws, daeth capten y tîm cartref i'r golwg gyda jwg o gwrw yn ei law. Penderfynwyd yn y fan a'r lle y byddai'n anghwrtais iawn peidio â dangos gwerthfawrogiad llawn o'r fath haelioni! Yn ffodus, roedd yn ddiwrnod Ffair Borth felly, wedi gwagio'r jwg, treuliwyd rhai oriau'n mwynhau'r ffair cyn barnu ei bod yn ddoeth troi am adref.

Yn gwmnïwr hynod ddiddan ac yn dynnwr coes, roedd cyfle weithiau i dalu'r pwyth yn ôl wrth ddwyn i gof ambell dro trwstan a ddaeth i'w ran yntau. Wedi gadael ei gar ar droad Penmachno o'r A5 ar ei ffordd i'r gêm un Sadwrn, aeth y dathlu yn y Cwîns yn Llanrwst ymlaen yn hwyr a chollodd ei lifft adref. Pwy ddaeth ar ei draws ond plismon Penmachno a oedd ar ei ffordd adref ac agor drws y car iddo. Popeth yn iawn nes cyrraedd troad Penmachno, ac Arthur yn dadlau'n daer â'r plismon – a hwnnw'n ei lifrai ac ar ddyletswydd,

'Rho fi lawr, mi fydda i'n iawn rŵan – mae'r car gen i fama'. Roedd, mae a bydd Arthur yn un o gymeriadau chwedlonol Clwb Rygbi Nant Conwy. Cafwyd llond trol o hwyl a byddai ei ffrindiau i gyd yn gallu dweud,

'Diolch Arthur, am gael mwynhau bywyd yn dy gwmni.'

'*Duw, su'mae Twm?*'

TWM ELIAS a diddordeb Arthur mewn Llên Gwerin . . . a'i hoffter sgwrs a stori

Yr anghymarol Arthur. Be arall fedrwch chi ddweud i'w ddisgrifio ynde? Fe'i cyfarfyddais i o gynta ddiwedd y 1960au yn rhai o ymgyrchoedd Cymdeithas yr Iaith a hefyd ar rai o'r cyrchoedd hwyliog a meddw i Gaerdydd a mannau eraill adeg gemau rygbi. 'Duw, su'mae Twm?' fydda'i gyfarchiad o bob tro cyn ei hwylio hi i ryw sgwrs neu stori go ddifyr. Un brwd a hwyliog oedd o, ac yr un mor danbaid dros ei filltir sgwâr ym Mhenmachno ag yr oedd o dros Gymru a Chymreictod.

Cefais gyfle i'w nabod yn well ddechrau'r 1980au, a minnau erbyn hynny'n gweithio ym Mhlas Tan y Bwlch yn rhedeg cyrsiau ar fyd natur a phethau eraill. Un o'r rhain oedd y cwrs Llên Gwerin, wnaeth ddathlu ei ben-blwydd yn ddeugain eleni (2020). Fe dyfodd y cwrs hwn yn rhyfeddol o sydyn drwy'r 1980au, gan esgor yn weddol fuan ar Gymdeithas Llafar Gwlad a'r cylchgrawn *Llafar Gwlad*. Roedd Arthur, oedd yn gyfaill i Myrddin ap Dafydd a John Owen Huws, Waunfawr (sefydlwyr y cylchgrawn), yn frwd dros y fenter ac aeth ati i gyfrannu nifer fawr o eitemau am gymeriadau a thraddodiadau Bro Machno ac ardal Porthmadog.

Rhoddodd sawl sgwrs i'r cwrs Llên Gwerin, yn enwedig yn y blynyddoedd cynnar. Sgyrsiau cofiadwy a llawn hwyl am gymeriadau Penmachno, gan gynnwys yr 'Hen Rebel' hwnnw, ei dad.

Fel rhan o gyfres Merfyn Williams ar y Cysylltiadau Celtaidd, penderfynwyd mynd ar drip tramor i'r arddangosfa Geltaidd fawr yn Hallein yn Awstria am wythnos yn 1980. Wedi cael blas eithriadol ar honno dyma ddilyn y trywydd Celtaidd i'r Weriniaeth Tsiec (Tsiecoslofacia bryd hynny) yn 1982 ac i Hwngari yn 1984. Profiad hynod ddifyr mewn gwledydd oedd y tu ôl i'r Llen Haearn yn y dyddiau hynny. Wel am hwyl, a'r cyfan yn clecio rhwng Arthur, Merfyn, Gerallt Tudor o Gorwen a'r anfarwol Ieu Rhos – o Rhos, wrth gwrs.

Er hynny, doeddem ni ddim yn rhy gaeth i'n testun. Dyma eiriau Arthur am y daith i'r Weriniaeth Tsiec: '... i weld rhai o olion Celtaidd y wlad honno.' Wel, dyna'r esgus, beth bynnag, ond yn fuan iawn daeth Tomas, ein tywysydd Tsiec i ddeall mai criw rhyfedd iawn o archaeolegwyr oedd y rhain, yn dangos ychydig iawn o ddiddordeb yn olion Celtaidd cyfoethog ei wlad ond yn mynnu archwilio pensaernïaeth tai tafarnau a chlybiau Prâg – a hynny hyd oriau mân y bore!'

Pan aethon ni i'r Amgueddfa Genedlaethol ym mhen ucha Sgwâr St Wenceslas ym Mhrâg, mi gefais i'r fraint o gyfarch y Curadur ar ran y grŵp, drwy Tomas ein cyfieithydd: 'Rydan ni wedi dwad yma i werthfawrogi'r cyfoeth anhygoel o drysorau Celtaidd sy' ganddoch chi yma yn yr Amgueddfa. Rydan ni yn Gymry, disgynyddion yr hen Geltiaid a grëodd y trysorau hyn, ac rydan ni'n geidwaid iaith a diwylliant Celtaidd byw. Diolch ichi am edrych ar ôl y trysorau hyn ar ein rhan ac, ar ddiwedd ein hymweliad, mi fuasem yn hoffi mynd â nhw 'nôl adra i Gymru hefo ni.' Wel fe chwerthodd y boi yn llawen ac mi gawson ni groeso anhygoel – roedd o'n Geltoffeil – gan hyd yn oed adael inni afael yn ein dwylo rai o'r trysorau welson ni yn Hallein ddwy flynedd ynghynt.

Ar y cowrt mawr llydan o flaen cadeirlan enfawr St Vitus ar fryn ynghanol y ddinas, fe benderfynodd rywun – Ieu Rhos dwi'n amau – fod ei gefn o'n brifo ac y byddai gorwedd ar ei hyd ar lawr yn ei 'stwytho. Wel, y peth nesa, roedd Arthur, Gerallt, Merfyn ac un neu ddau arall yn gorwedd hefo fo. O fewn munud roedd tyrfa fawr o bobl wedi hel yn gylch mawr o'n cwmpas – yn d'eud dim, dim ond syllu'n gegrwth ar rywbeth mor anarferol, gan feddwl bod 'na brotest neu rywbeth ymlaen. Clywyd seirens yn y pellter a chafwyd rhybudd bod plismyn ar eu ffordd, felly dyma godi ac o fewn llai na munud roedd y dorf wedi gwasgaru a ninnau'n cerdded am y porth am allan, heibio i hanner dwsin o blismyn go galed yr olwg oedd ar eu ffordd i mewn.

Bob tro y byddwn i'n cyfarfod ag Arthur, ar y stryd yn Port ran amlaf, mi fydda 'na hen rannu straeon a minnau'n ei holi am rywbeth oedd wedi codi yn ei golofn yn *Y Cymro*. Roedd o'n hanesydd lleol penigamp a sgwennwr hynod ddifyr efo diddordeb yn hynt a helynt pobl gyffredin a chymeriadau yn fwy na dim arall. Gwneud hanes yn hwyl, dyna'i ddiddordeb.

Arthur ac Olwen yn nathliad Yr Odyn
gydag Eleri Ty'n Bwlch a Myrddin

BWMP AR Y BYMPING CAR

Digwyddodd damwain erchyll
I un o hogia'r Llan,
Gwrthdrawiad gyda modur
A gwaedu dros bob man.

Drwy lwc yn Rhyl bu hynny —
Dyw'r 'sbyty ddim ymhell,
Fe'i brysiwyd draw i'w bwytho
I wneud ei wep o'n well.

Ond nid mewn car arferol
Na chwaith ar ffordd o dar
Y bu y ddamwain honno —
Ond mewn rhyw bymping car!

Lle peryg ydi'r ffeiriau
Rhwng tri a chwech y pnawn
Pan fo rhyw griw o hogia
Yn fwy na hanner llawn!

Tro nesa'r ewch i'r Rhyl 'na
Gwell cadw i'r llwybr cul,
Dim mwy o herio'r bympars —
Gwell mynd ar gefn y mul.

A.M.T.
Rhif 113, Gorffennaf 1985

Enghraifft o benillion tynnu coes o waith Arthur yn Yr Odyn

Dyn y bwnshis

WIL LLOYD DAVIES yn cofio cyfnod sefydlu papur bro *Yr Odyn*

'Ydi dyn y bwnshis yn galw heno Dad?' Dyna oedd cwestiwn Ffion ac Eleri wrth holi os oedd Yncl Arthur yn galw heibio.

Ar ôl sefydlu'r *Odyn* yn 1975, byddai Arthur yn galw'n eitha' cyson i drafod rhywbeth ynglŷn â'r papur bro ac yn aml byddai Anwen y Glyn a Marian Tai Duon gydag o. Tra byddai'r ddwy'n teipio yn y gegin byddai Arthur yn cael ei hawlio gan Ffion ac Eleri.

'Eisteddwch chi yn fanna Yncl Arthur, tra bydda i'n nôl y grib a'r lastig bands yn barod.'

Byddai Arthur yn ufuddhau fel oen yn cael ei arwain i'r lladdfa! Roedd gan Arthur wallt bendigedig i ffurfio bwnshis. Ar ôl iddo eistedd byddai'r ddwy fach yn dechrau cribo a chael llond llaw o'i wallt ac yn gosod lastig band amdano i ffurfio ysgub o wallt.

'Fel yna y byddan ni'n gafra ers statwm,' meddwn i.

'Be di gafra Dad?' gofynnodd y fechan.

'Cyn dydd y beindar a'r peiriannau modern yma, byddan ni'n casglu'r ŷd oedd wedi ei dorri mewn rhenciau ac yn cymryd llond haffliad o'r ŷd yn ein breichiau ac yn ffurfio tennyn o'r ŷd a'i ddefnyddio i glymu'r ysgub. Yna byddem yn casglu chwech ysgub a'u gosod ar eu traed i ffurfio stwcyn.'

Byddai Arthur wrth ei fodd yn clywed y termau amaethyddol ac am ddulliau amaethu y gorffennol gan fod ganddo gymaint o ddiddordeb mewn llên gwerin a'i holl gysylltiadau. A chyn cyn pen dim roedd ei ben yn llawn o stwciau gwallt!

'Chewch chi ddim tynnu rheina rŵan am beth amser a bydd raid i chi fynd i'r ysgol fory fel 'na.'

'Mi fyddai yn siŵr o 'neud,' meddai Arthur yn ufudd.

Gallaf ddychmygu Arthur yn stopio yng ngwaelod y ffordd ac yn diawlio'r genod wrth iddo geisio rhyddhau ei hun o'r lastig bands. Roedd Arthur yn regwr heb ei debyg!

Yn sicr, gosododd Arthur ei stamp ei hun ar y papur bro ac fel y golygydd cyntaf bu'n torri ei gwys ei hun. Mynnodd gael datganiad clir ar bob rhifyn yn nodi mai papur annibynnol oedd *Yr Odyn*.

'Papur annibynnol yw'r Odyn.
NI dderbynnir cymorth ariannol gan
Gymdeithas Celfyddydau Gogledd Cymru.'

Doedd Arthur ddim yn un i gydymffurfio nac i fod yn gaeth i draddodiad.

Byddem yn anghytuno'n aml ynglŷn â'i ddaliadau crefyddol neu yn hytrach ei ddiffyg daliadau. Byddwn yn ei atgoffa yn gyson ei fod yn hannu o deulu arbennig iawn, gan ei fod yn ddisgynydd i'r Esgob William Morgan, cyfieithydd y Beibl i'r Gymraeg. Ac roedd ei Dad yn flaenor a chodwr canu yng nghapel Wesle Penmachno. Ond doedd dim yn tycio.

Roedd wrth ei fodd gyda phenillion tynnu coes a throeon trwstan a byddai ef ei hun yn ysgrifennu nifer ohonynt. 'Mae isho dipyn o gyffro yn Nyfffryn Lledr 'ma,' meddai un diwrnod, ac fe berswadiodd Elis Tan Castell a finne i ysgrifennu penillion, y naill i'r llall. Aeth pethau dros ben llestri braidd a phobl yn meddwl ein bod o ddifri! Bu rhaid rhoi'r gorau iddi a finne yn beio Arthur.

'Wel fe greodd dipyn o hwyl yn do,' meddai gan chwerthin yn braf.

Byddwn yn tynnu ei goes yn aml ei fod yn debyg i'r hen rebel gwrth sefydliad hwnnw o Dan y Clogwyn, Y Wybrnant, sef Elis o'r Nant, yr ysgrifennodd Vivian Parry Williams lyfr gwych amdano, *Cynrychiolydd y Werin*. Byddai Arthur wrth ei fodd yn casglu llyfrau, pamffledi ac unrhyw beth ynglŷn ag ardal uwch Conwy yn union fel Elis.

Cefais fenthyg *Dafydd ap Siencyn yr Heliwr* gan Elis o'r Nant ganddo un tro, ac meddai, 'ond cofia dwi isho fo yn ôl o fewn mis.' Pan ddaeth y mis i ben gofynnodd, 'Wyt ti di gorffen efo fo?' Roedd ganddo feddwl y byd o'i gasgliad helaeth o lyfrau a dogfennau am yr hen ardal a byddai yn eu gwarchod fel trysorau.

Pan ar faes yr Eisteddfod Genedlaethol daethom fel teulu wyneb yn wyneb ag Arthur. Ar ôl sgwrsio am beth amser fe wahoddwyd ni i Babell Sali Mali. Bu'r plant yn swnian drwy'r p'nawn am gael mynd i weld pabell Sali Mali Yncl Arthur. Doedd y plant ddim yn deall, gan mai llyfr i blant oedd Sali Mali tra roedd cymeriadau'r babell yn dra gwahanol!

Yn 2020 bydd pum canfed rhifyn *Yr Odyn* yn ymddangos. Babi Arthur oedd *Yr Odyn* a buasai wrth ei fodd yn dadol ymhyfrydu yn y dathliadau a'i hir hoedledd. Diolch am gael ei adnabod a rhannu o'i ffraethineb a'r llond trol o hwyl a ddeuai yn ei sgîl.

ATEB

I William Lloyd Davies, Dolwyddelan ac Arthur Morgan Thomas, Penmachno

Mae rhywbeth mawr ar William Lloyd
A'i stori sydd yn simsan,
Arllwysodd arnaf lwyth di-werth
O feiau Arthur Morgan.

Rhoi'r bai ar un dieuog sydd
Yn waeth na gwasgu hogan,
Melysach fuasai'r ferch i mi
Na beiau Arthur Morgan.

Ymwrthod mae â stori'r wraig
Achubwyd yn ei choban,
Haws fuasai cario'r wraig am byth
Na beiau Arthur Morgan.

Fe ddaw y dydd y bydd y ddau
Yn rhodio yn eu cwman,
Gwargamu 'rwyf ers mis neu ddau
Dan feiau Arthur Morgan.

I'r bardd bregethwr clwyddog cas
A'r cablwr hoff o glebran,
Mae iddo destun pregeth hir
Ym meiau Arthur Morgan.

Am fyw fel gwraig i granc o ddyn
Y nef fydd gwobr Marian,
'Does dim byd gwaeth nag ef yn bod
Ond beiau Arthur Morgan.

Ar ôl pob storm fe ddaw yr haul
I ardal Dolwyddelan,
A dedwydd fyddwn yn y fro
Heb feiau Arthur Morgan.

Ellis E. Evans
Rhif 42, Mawrth 1979

"WEL, MYN DIAIN I — TYDI'R GWYNT HYD YN OED DDIM AM FYND Â 'NHRÔNS I"

Dacw nhw ar y balconi'n rhes
Ar ddwy neu dair cadair yn sychu'n y gwres.

Aeth Arthur ac Olwen i grwydro rhyw ynys
A'u gadael yn wlyb yng ngŵydd yr Aeopadus.

Bu Arthur yn ddiwyd yn eu golchi ben bore
Rhag cario dillad budron yn ôl i Ddolgelle.

Trôns, pâr o sanne, a cheseiliau ei grys,
Yn lân ac yn ffres heb arogl chwys.

Yn ystod y pnawn fe ddaeth awel o wynt
Ac ymaith â'r sanne a'r crys ar eu hynt.

Os ceir tywydd teg, falle dônt ar eu hunion
Fel 'rhen gwcw fach, at lan afon Wnion.

Hen siom gafodd Arthur 'rôl dychwel i'r gwesty
O ganfod drôns unig yn ei groesawu.

Os am olchi dillad tra byddwch ar wyliau
Gofalwch bod gennych gortyn a phegiau.

Perthynas
Rhif 121, Ebrill 1986

72

Y dyn teulu

Ifor a Mena, Olwen ac Arthur a Mai a Richie, Gorffennaf 1985

Arthur – gŵr a thad

ERYL OWAIN

Daeth yn newid byd i Arthur pan briododd Olwen Ifona Jones o Ddyffryn Dyfi yng nghapel Pantperthog yn 1985. Mae Olwen yn hen ffrind i Angharad ac roedd yn digwydd aros efo ni un tro a chan fod Cinio Cymdeithas Cŵn Defaid Penmachno'n cael ei gynnal daeth yno gyda ni. Tua diwedd y noson manteisiwyd ar ddoniau Olwen fel pianydd i geisio cadw rhyw fath o drefn ar y canu a gwnaeth cymaint o argraff fel y mynnodd Wil Twm, y trefnydd, ei bod yn cael gwahoddiad yn ôl ymhen blwyddyn. A dyna pryd y taniwyd pethau gyntaf rhwng Arthur ac Olwen – a mynd o nerth i nerth wnaeth pethau wedyn!

Roedd Olwen yn athrawes ffidil ac yn byw yn Nolgellau ar y pryd ac yno'r ymgartrefodd y ddau cyn symud i Borthmadog. Er mai cyfnod byr a dreuliwyd yn Nolgellau, roedd yn gyfnod prysur o ganu gyda Chôr Meibion Dolgellau, o gymdeithasu a gwneud ffrindiau newydd – a hyd yn oed chwarae ambell gêm i ail dîm y dre' pan oeddent yn fyr.

Mae hynny'n ein hatgoffa o un o'r llu straeon a gofnodwyd gan Arthur yn *Llafar Gwlad*. Capten y tîm lleol yn ffonio un o gymeriadau'r clwb ar amser cinio dydd Sadwrn, er mwyn ceisio llenwi'r tîm ar gyfer y prynhawn. Roedd y cymeriad yn fach o ran maint ond yn fawr o ran ffraethineb:

'Nei di chwara' heddiw, dwi'n fyr?'

'Dwi inna'n fyr hefyd, ond dwi ddim am chwara',' oedd yr ateb.

Wedi colli ei fam yn sydyn iawn yn 1985, bu ei dad yn byw gydag Olwen ac Arthur yn Nolgellau am gyfnod. Roedd Richie yn aros efo Olwen ac Arthur yn Nolgellau un tro pan gafodd ei dad y gorau ar Arthur. Roedd criw bach o ffrindiau'n mwynhau

Y gŵr ifanc a'i getyn
ar ei fis mêl yn Norwy

gwydryn neu ddau yn eu cartref yn Nolgellau pan ddaeth Richie i'r ystafell a dweud wrth Arthur,

'Rwyt ti'n troi'r lle 'ma'n dŷ tafarn',

Arthur yn cytuno,

'Ydw, dwi am roi arwydd i fyny, Olwen Thomas, licensed to sell beer',

a Richie fel ergyd o wn yn ateb,

'Well i ti gael un arall wrth ei ymyl, Arthur Thomas, licensed to drink it'!

Bu'n bartneriaeth hynod hapus ac Olwen ac Arthur yn asio i'w gilydd i'r dim ac, fel mae sawl cyfaill wedi dweud, pur anaml y byddech yn gweld y naill heb y llall. Porthmadog oedd cartref y ddau am dros ddeng mlynedd ar hugain ac yno y magwyd Elen Hydref. Gyda chefndir cerddorol o'r ddwy ochr, does ryfedd iddi gael gyrfa ddisglair mewn ysgol a choleg a sefydlu ei hun fel telynores broffesiynol.

Y piano oedd offeryn cyntaf Elen ond byddai'n rhoi cynnig, yn blentyn ifanc iawn, ar chwarae'r darnau ymarfer ar hen delyn oedd yn y tŷ. Dywed Elen mai diflasu ar y sain amhersain a gynhyrchai a wnaeth i'w rhieni drefnu gwersi telyn ar ei chyfer, ond mae'n siŵr mai'r gwir oedd iddynt sylweddoli bod yno gryn dalent.

Cafwyd cyfnod prysur o gystadlu mewn eisteddfodau lleol a chenedlaethol – ac Arthur yn aml yn cystadlu yn adrannau llenyddol y rhai lleol ac Elen yn cipio gwobrau yn y cystadlaethau cerdd. Derbyniodd Elen wersi gan Elinor Bennett a bu'n aelod o Gerddorfeydd Ieuenctid Cenedlaethol Cymru a Phrydain Fawr. Yn 16 mlwydd oed enillodd ysgoloriaeth i Ysgol Gerdd Purcell yn Llundain ac yn ddiweddarach graddiodd gyda

Elen Hydref

Dosbarth Cyntaf o'r Academi Gerdd Frenhinol cyn mynd ymlaen i gwblhau cwrs Meistr gydag Anrhydedd.

Ers hynny mae Elen wedi perfformio ledled Ewrop yn nifer o'r tai opera a chyngerdd enwocaf ac wedi cyflwyno rhai o'r darnau mwyaf heriol posib. O gael cyfle i glywed rhai o denoriaid amlycaf ein hoes, cadarnhawyd i Elen gystal canwr oedd ei thaid ac y gallai Richie fod wedi dal ei dir ochr yn ochr â'r un ohonynt. A byddai teithiau Elen yn rhoi rheswm dros deithio i'r rhieni balch hefyd ac Arthur yn magu blas am gerddoriaeth wahanol i'r hyn oedd wedi arfer mynd â'i fryd. Mae'n debyg ei fod yn mwynhau operâu yn fwy na balet! Bu perthynas agos gan Elen â Norwy; bu'n delynores gyda Cherddorfeydd Ffilarmonig Bergen a'r Arctig a threuliodd flwyddyn 2016-17 yn brif delynores Cerddorfa Cwmni Opera Cenedlaethol y wlad.

Roedd Olwen ac Arthur wedi hen arfer teithio cyn hynny. Roedd Ynys Manaw yn un gyrchfan hoff pan oedd Elen yn ifanc a bu'r teulu'n aros yno sawl tro gan ddod i adnabod yr ynys, ei hanes a'i thraddodiadau'n dda. Bu'r teithiau cyrchu gwinoedd a chwrw o Ffrainc yn rhan hanfodol o'r calendr blynyddol ar un adeg ac, yn ddiweddarach, ymweliadau â marchnadoedd Nadolig dwyrain Ewrop. Erbyn dyddiau'r camperfan – yr Hers yn gyntaf ac yna'r Jipsan – roedd modd hwylus i ymweld ag eisteddfodau, gwyliau, gemau rygbi, priodasau a digwyddiadau ledled Cymru. Prin y byddai unrhyw achlysur o bwys yn gyflawn heb ymweliad gan y camperfan!

Teithiwyd yn helaeth i rannau eraill o ynysoedd Prydain ac i wledydd tramor. Byddai'n rhestr hir o nodi'r holl gyrchfannau. Un o arferion Arthur wedi dychwelyd o wyliau fyddai llunio llyfr

Byddai Arthur yn gwneud ffrindiau â phawb –
gyda gyrrwr tacsi, Gozo 1997

Yn Salzburg, 2002; cafwyd cyfle i fwynhau cerddoriaeth hefyd!

sgrap manwl o ymweliadau â llefydd fel Gwlad Groeg, Malta, Ffrainc, Yr Eidal, Gran Canaria, Awstria, Yr Almaen . . . a sawl man arall – mae 33 o'r llyfrau hynny wedi eu cadw. Oedd, roedd yn gofnodwr cydwybodol a threfnus!

A lle bynnag y byddai'n mynd, byddai'n gwneud ffrindiau ac yn cyfarfod pobl ddiddorol, cymeriadau â hanesion i'w dweud a phrofiadau i'w rhannu ac Arthur wrth ei fodd yn eu cwmni. Gallai dynnu'r gorau ohonynt gan ei fod yn gwmnïwr mor naturiol a rhadlon a byddai'n ychwanegu'r un pryd at ei stôr personol di-ben-draw o straeon difyr. A byddai'r cyfeillgarwch yn parhau wedi'r gwyliau ac Olwen ac Arthur yn aml yn dychwelyd droeon i'r un man at yr un bobl.

Wrth chwilio'r wê am lety ar gyfer trip rygbi i'r Eidal, canfyddodd Arthur le Gwely a Brecwast o'r enw Bonny Scotland yn Lanuvio ger Rhufain. Un o Auchterarder ger Aberdeen oedd Frances, gwraig y llety, ac yno gyda hi a'i gŵr, Franco, y byddai Olwen ac Arthur yn aros pob gêm y Chwe

Gwyliau olaf Arthur, Medi 2019 - efo Vivien a Thierry yn Ffrainc

78

Franco a Frances - adeg un o gemau'r Chwe Gwlad

Yn Norwy, gyda Tora ac Iori Roberts

Gwlad o hynny allan. Treuliwyd sawl gwyliau dros y blynyddoedd diwethaf, gan gynnwys eu gwyliau olaf ym Medi 2019, mewn bwthyn hunan-gynhaliol yn perthyn i Vivien a Thierry yn Ffrainc. Daethpwyd yn ffrindiau agos â'r ddau gwpl – cyfeillgarwch ag Olwen sydd wedi parhau ers colli Arthur.

Croesawyd Joe i'r teulu, ef hefyd yn gerddor jazz dawnus dros ben. Roedd Arthur yn falch iawn fod ei fab-yng-nghyfraith o Aberdeen wedi mynd ati i ddysgu Cymraeg ar ei ben ei hun yn Watford, lle mae Elen ac yntau'n byw. Bellach mae teulu bach o dri yno, gyda geni Ffion Catrin ychydig wythnosau wedi marwolaeth Arthur. Byddai wedi dotio gymaint â'r un taid erioed ond er y tristwch na chafodd gyfarfod ei wyres, cafodd y profiad o fod yn edrych ymlaen yn eiddgar at fywyd newydd.

Y tad balch a'r ferch hapus, Medi 2017

Cywydd i gyfarch Elen a Joe
ar ddydd eu priodas, 2 Medi, 2017

Joe ac Elen, gyda'u rhieni, Nant Gwrtheyrn, Medi 2017

O hyd a lled y gwledydd,
Heddiw'r llu sy'n dathlu dydd
A geir mewn awyrgylch gŵyl
Yn uniad y ddau annwyl.

O Alba i Walia wen
I fynnu llaw y feinwen
Daeth Joe, a'i hawlio wnaeth hwn –
Ei orchest a gyfarchwn.

Yn y Nant, heddiw mae naws
Hen, hen awyrgylch hynaws,
A'i heulwen yw'r llawenydd
Ddaw ar gyfer dechre'r dydd;
Oes, mae naws yma'n y Nant,
Y lle'n rymus, llawn rhamant.

Yr haul ar fodrwy welir
Uwch y gwin yn gloywi'n glir.
Hwn yw dydd daw uniad oes
Ag oriau ar frig iroes.
Y ddau hyn a ddaw o hyd
I haf o gydfyw hefyd.

Ffion Catrin

Er cof am Mena Jones

Symudodd Mena Jones, mam Olwen, o ardal Machynlleth a Dyffryn Dulas i dreulio ei blynyddoedd olaf yn agos at y teulu ym Mhorthmadog. Un o Lanuwchllyn oedd hi'n wreiddiol, yn chwaer i R. J. Edwards neu Robin Jac, y moto-beiciwr a'r bardd y lluniodd Arthur gyfrol amdano. Fel ei brawd, roedd Mena'n genedlaetholwraig gadarn a bu farw yn Hydref 2012 ychydig ddyddiau wedi cyrraedd ei chant. Dyma englynion Arthur er cof amdani:

Un anwylach, ni welais – â dirnad
　　Ei chadernid cwrtais
　　Yn ei llef, rhinwedd y llais
　　Fu ei olud difalais.

Canllaw i'r daith, oedd weithiau – yn hir iawn
　　Ar rawd 'llawn troadau,
　　Ond hon fu'n gyson yn gwau
　　Yn fanwl rhwng terfynau.

Ac wrth i'w chanrif rifo – o waddol
　　Blynyddoedd aeth heibio,
　　Hi aeth yn ôl i weithio
　　Cloddfa aur cilfachau'r co'.

Y mae un na ddychwel mwy – i ddolydd
　　Y Ddulas na'r Ddyfrdwy
　　I fyd ei hoes gofiadwy
　　Lle y twf eu glaswellt hwy.

Rhan 5

I Fro Eifionydd

Cyfraniadau Arthur i'r Wylan *a Phasiant Port*

ERYL OWAIN

Penodwyd Arthur yn athro gwyddoniaeth yn Ysgol Eifionydd yn 1973, yn un o griw hwyliog o athrawon ifainc. Mwynhaodd eu cwmni hwy a chwmni'r plant dan ei ofal. Gallai gyflwyno gwyddoniaeth mewn modd difyr a chlir ac roedd y disgyblion yn gwerthfawrogi ei naturioldeb, ei agosatrwydd atynt a'i ddiddordeb diffuant ynddynt. Oedd, roedd yn athro poblogaidd.

Dotiodd yn arbennig at ddawn geiriol y pennaeth chwedlonol, Mr Jackson, a chadwodd gofnodion manwl o'r cam-eirio mynych, gan fwydo llawer ohonynt i'r cylchgrawn *Llafar Gwlad*. Ond roedd hefyd yn edmygu ei ddull cadarn a di-lol o ddelio â'r disgyblion a'i amheuaeth iach o ymyrraeth awdurdod arbenigwyr.

Cyfrannodd yn helaeth i fywyd cymdeithasol Porthmadog ac Eifionydd. Bu'n aelod o Gôr Meibion Madog ac roedd yn un o selogion Pasiant Porthmadog. Dyma Bethan Williams, Tremadog yn dwyn i gof y Pasiant mawr i ddathlu'r mileniwm newydd,

> Bu Arthur yn aelod blaenllaw o Basiant Port ers y cyflwyniad cyntaf ym mlwyddyn 2000 a bu'n gadeirydd y pwyllgor am gyfnod. Sioe gymunedol ardal Porthmadog oedd hon i groesawu'r mileniwm newydd dan yr enw 'Lle Bu'r Dŵr'. Arthur oedd yn gyfrifol am 'sgwennu'r caneuon ar ei chyfer.
>
> Ymhen tair blynedd wedyn, sef 2003, fe gafodd yr un dasg unwaith yn rhagor. 'Lle Bu'r Llongau' oedd y pasiant

Rhaglenni Pasiant Port

hwn ac Arthur yn ei elfen yn cyfansoddi geiriau llon a lleddf i ddisgrifio'r fordaith ar y Blodwen o'r harbwr yn Port i Hambwrg, Sbaen, Casablanca a'r Caribî. Cymerodd ran hefyd a phwy gaech chi'n well nac Arthur i fod yng ngofal y cwrw a chael bod yn dafarnwr yn Hambwrg – on'd oedd o'n dallt y cwrw i'r dim!

Roedd Arthur yn rhan o'r côr ym Mhasiant 2006 hefyd, 'Lle Bu'r Blacowt', ac yn un o'r cast yn herio Mr Hitler yn yr olygfa, 'Dewrion yr Hôm Gârd'. Roedd ceisio eu cael i gyd-symud yn hunllef, ac Arthur yn drwsgl ac yn mynd yn groes i'r graen bob gafal, wastad gam ar ôl pawb arall – a'r gynulleidfa wrth eu bodd efo'r sbort.

Mae sawl stori ddigri am Arthur a'r pasiant, ond straeon i'w cadw yn y cof, yn hytrach na'u cofnodi ydynt! Ond o gofio Arthur, fe ellwch fentro bod dogn helaeth o ddoniolwch, direidi a ffraethineb yna yn rhywle!

CLOCH PENAMSER
Sŵn ei chaniad dros y wlad,
  Sy'n siŵr o dynnu sylw,
Dowch 'nôl o'ch helfa ac o'ch gwaith
  Ar frys – y gloch sy'n galw
Mae cloch Penamser eto'n rhoi
Rhybudd fod y llanw'n troi.

Llifa'r llanw – ac mae'r gloch
  Yn canu unwaith eto
I alw teithwyr o bob pen
  Wrth ddweud fod tir yn cilio.
Cloch Penamser gana'n glir,
Yn arwydd na fydd Traeth cyn hir.

Daw'r tonnau mân ar hyd y Traeth
  Yn amdo uwch y Morfa
Gan lenwi holl gilfachau'r fro
  A golchi godre'r creigia'
Cloch Penamser 'nawr sydd fud
'Rôl canu'i rhybudd dros y byd.
          O *Lle bu'r Llongau*, 2003

Roedd ar banel Golygyddion sefydlog *Yr Wylan*, yn gyfrifol yn ei dro am rifyn penodol o'r papur. Fel gyda'r *Odyn*, byddai cryn dipyn o dynnu coes o bryd i'w gilydd a gallai dynnu blewyn o ambell i drwyn mwy sensitif na'i gilydd wrth herio'r hyn a welai fel ffug barchusrwydd. Ef oedd 'Rafin y Pafin', yn llunio colofn fisol yn cofnodi'n grafog ddoethinebau Now Garn, Huw

Te ffarmwrs -
Wil Braich Saint, Arthur, Henry Bowley, Rob Twin

Parsal (postmon) a Wil Chwys (diogyn) – a'r Rafin ei hun – ar
y byd a'r betws yn ystod eu hymweliadau ffyddlon â'r Cochyn,
tafarn y Llew Coch ym Mhorthmadog.

Sefydlodd Arthur ei hun fel un o gymeriadau'r dref a
chafodd lawer o hwyl yng nghwmni criw o gymeriadau ffraeth
yr ardal a fyddai'n cyfarfod yn yr hyn a elwid yn De Ffarmwrs.
Does dim sicrwydd faint ohonynt oedd yn ffermwyr a llai fyth
o sicrwydd a yfwyd te o gwbl! Efallai bod yr enw'n dod o arfer
tafarnwraig y Llew Coch o dywallt wisgi o bot tebot yn y cyfnod
pan fyddai'n rhaid cau'n swyddogol am rai oriau'n y p'nawn.

Daeth yr Ogof yn gyrchfan i adar o'r unlliw, rhai megis Glyn
Povey, o Garndolbenmaen yn wreiddiol, adeiladydd a

Yn Ogof Arthur, cyn addurno'r waliau – Dafydd Watcyn a'i fab Aled, y diweddar Lachlan Wilson, Carys Lake a Nerys Jones.

chymydog iddo ym Mhorthmadog. Roedd Arthur bron yn siŵr mai Glyn fathodd yr enw 'Yr Ogof' ar y garej a drowyd yn dafarn, y dafarn lle nad oedd yr un til byth yn agor, ac roedd yn sicr hefyd mai Glyn a ddywedodd gyntaf fod 'mynd i'r Ogof yr un fath â mynd i mewn i Theatr Ysbyty Gwynedd – ti'n cofio mynd i mewn ond does gen ti ddim cof o ddod allan'.

Stori arall gan Glyn oedd iddo weld llygoden fawr yng nghefn y tŷ yn siglo o ochr i ochr – wedi cael gwenwyn oedd hi – ond ei fod ef yn mynnu ei bod wedi bod yn rhy hir yn Ogof Arthur.

Pan fu Glyn Povey farw yn 2008, lluniodd Arthur englynion er cof amdano,

> O dalar magwrfa'r Garn – mor rymus,
> Ymrwymiad llawn haearn
> At iaith a gwlad fu'n gadarn;
> Heb ildio – Cymro i'r carn.

Un dyrys am ddweud stori – yn gryno
   A'r graen 'roddid arni
  Drwy ystod y traddodi –
  Direidus, nwyfus i ni.

Gadael Arwyn, Geth a Bethan – heb dad,
   Heb daid, deulu bychan;
  Ei weddill aeth i bridd llan
  I aneddfa y guddfan.

A heno, ar noson dyner – mae'n oer,
   Mae'n wag ym Mhenamser;
  Ni wnaf ond chwilio'n ofer
  Am un oedd glamp o gymêr.

A bellach mae'r un mor oer a gwag wedi colli un arall oedd yn glamp o gymêr.

Mae waliau'r Ogof a hyd yn oed y nenfwd hefyd wedi eu gorchuddio â phosteri am bob math o gyngherddau, protestiadau a digwyddiadau. Mae'r posteri hynny nid yn unig yn adlewyrchu diddordebau eang ac amrywiol Arthur ond maent hefyd yn adrodd talp go dda o hanes Cymru dros yr hanner canrif ddiwethaf. Efallai y dylai criw Sain Ffagan ddod yno â thynnu'r cyfan fricsen wrth fricsen!

Teyrnged i Arthur

PENRI JONES

Yr atgof cyntaf amdano yw yn un o'r 'Steddfodau Cenedlaethol, ymhell yn ôl yn niwl y gorffennol – côt hirllaes filwrol yr olwg amdano a gwallt hirllaes fflamgoch at ei ysgwyddau. Roedd fel un o Wylliaid Cochion Mawddwy er bod ei wreiddiau yn lled bell o Fawddwy. Llanc ifanc o dopiau Dyffryn Conwy oedd o ac yn hynod falch o hynny. Ychydig feddylies i bryd hynny y buaswn yn dod yn gryn dipyn o ffrindia' efo fo pan benodwyd fi yn athro Cymraeg yn Ysgol Eifionydd ganol y saithdegau.

Y *'gôt hirllaes, filwrol'*

Bryd hynny, roedd stafell athrawon y dynion yn ymrannu'n ddwy, yr athrawon hŷn sidet a'r rhai ifanc mwy eithafol Gymreig eu barn. Arthur oedd arweinydd naturiol yr ail griw. Un o'i brif ddoniau oedd llysenwi pobl. Arferiad bryd hynny oedd i lawer o athrawon yr ysgol symud i fyw i Gricieth a llysenwodd Arthur nhw yn Crypis, a chafodd gwraig go bwysig ar y staff 'Y Deyrnas' yn llysenw. Er nad oedd yn credu'r un owns, roedd Arthur wrth ei fodd yn dod i bob gwasanaeth boreol, i wrando ar gamgymeriadau'r Prifathro. Cofnodai hwy'n drefnus a'u hanfon at olygydd *Llafar Gwlad*. Defnyddiais ambell un fy hun yn y gyfrol *Jabas*, er enghraifft,

Rho imi nerth i wneud fy rhan,
I gario **braich** fy mrawd.

Hoff iaith y Prifathro wrth geryddu oedd Saesneg. Pan sylwodd fod un bachgen yn lled wenu un bore aeth i dipyn o dymer.

You are smiling boy! Why?'
'Am fy mod i'n hapus, Syr.'
Aeth tymer ein parchus brifathro'n waeth.
'Nid lle i wenu ydi gwasanaeth crefyddol. Does dim lle i fod yn hapus. Allan y munud 'ma i sefyll o flaen fy stafell i.'

Roedd Arthur wedi sylwi bod un aelod o'r staff yn ymhonni'n chwip o ganwr. Bryd hynny trefnid steddfod dafarn rhwng dynion Eifionydd a chriw o Lŷn a'r gyrchfan am rai blynyddoedd oedd tafarn Tŷ Newydd, Sarn. Arthur oedd yn trefnu'r rhaglen a chafodd yr unigolyn hwn y fraint o gystadlu un flwyddyn ar sawl unawd ac ar y gân werin, a'r gynulleidfa'n morio chwerthin. Rhoddodd y beirniad craff ef yn ail allan o ddau ym mhob cystadleuaeth, er mawr wylltineb i'r dyn dan sylw.

Arthur oedd yn penodi'r beirniad bob blwyddyn, ac un flwyddyn cafodd fod yn feirniad ar sawl cystadleuaeth ei hun. Roedd wrth ei fodd, ac ar ddechrau'r steddfod traddododd air bach o ddiolch am y dechrau syber hwn gan ychwanegu, pan fyddai 'ryw ddydd yn feirniad cenedlaethol y cofiai am byth am y dechreuadau hyn.'

Un o bennaf ddileits Arthur oedd trefnu trip rygbi i Ddulyn bob dwy flynedd. Cafodd y llety mwyaf delfrydol a oedd yn lân ac yn rhad – anferth o lofft efo wyth gwely, ond bod un yn wely dwbl. Pan o fewn golwg y llety byddem yn carlamu i fyny'r grisiau i gyrraedd y stafell er mwyn arbed gorfod cysgu efo Arthur. Fel arfer, byddai un athro newydd oedd ddim yn deall y rhuthr a fo gâi'r fraint o rannu'r gwely cyn dysgu o'i gamgymeriad ymhen dwy flynedd.

Unwaith yn unig y cawsom y gorau ar Arthur, pan brynodd dŷ yn union dros ffordd i archfarchnad go adnabyddus ac enw naturiol y staff arno oedd Kwiks View – a dyna fuodd.

Un o bennaf achos ei lawenydd dros y blynyddoedd oedd canfod Olwen a hithau'n wraig mor ddelfrydol iddo. Achos mwy o lawenydd oedd bod Elen y ferch yn disgwyl plentyn ac Arthur

Yn Rali Yes Cymru, Caernarfon

ac Olwen wedi gwirioni. Byddai cael bod yn daid wedi bod yn benllanw i'w fywyd llawn a hapus.

Olwen, Elen a Joe ac wrth gwrs bod yn daid oedd ei flaenoriaethau. Ond roedd un flaenoriaeth arall, Cymru a'r Gymraeg. Âi o ac Olwen ar unrhyw orymdaith dros Gymru – parêds Gŵyl Dewi, gorymdeithiau Cymdeithas yr Iaith ac wrth gwrs, Gorymdaith Annibyniaeth Cymru. Un o'r troeon diwethaf

YMADAWIAD ARTHUR

Wele'n cychwyn un-ar-ddeg
O athrawon Port ar fore teg.
Wele Siôn fu wrth y gwaith
O drefnu'n llwyr pob cam o daith.
Mynd y maent i ddal rhyw long
Er mwyn cael sbri cyn dweud 'so-long'
Wrth un o'r criw sydd yn ymddeol.
Be wna nhw hebddo yn yr ysgol?

(Waeth pwy)

Penillion ymddeoliad

i mi ei weld oedd yn yr Orymdaith Annibyniaeth yng Nghaernarfon, yn eistedd gydag Olwen ar fainc yng nghysgod Lloyd George. Ond yn sicr, y tro diwethaf un oedd yn aduniad Ysgol Eifionydd rhyw ychydig cyn y Nadolig pan oedd yr ysgol yn dathlu ei phen-blwydd yn 125 oed. Roedd yn ei afiaith arferol.

Ond gwelodd ffrind i mi Olwen ar un o goridorau Ysbyty Gwynedd a dywedodd hi wrtho fod Arthur yn dipyn gwaelach na'r argraff a roddai i eraill. Awgrymodd fy ffrind fy mod yn ei ffonio ar y Sul yn union cyn iddo farw. Dyna wnes i a chael sgwrs bersonol efo fo. Roedd yn llawn o'i natur heriol arferol a threfnais i alw i'w weld y prynhawn Gwener canlynol.

Ond yn anffodus, ches i mo'r cyfle.

'Be dwi'n ei gofio am Arthur'

CARYS LAKE – cyn-ddisgybl, cyd-athrawes, cymydog a ffrind yn cofio'r dyddiau da

Be' dw i'n ei gofio am Arthur? Be' 'di'r lluniau sy' gen i ohono heddiw?

Y dyn cymdeithasol, y cydweithiwr, y cymydog, y cyfaill.

Pa eiriau wedyn i'w ddal o?

Diflewyn ar dafod, ffraeth, gwerinwr, gwrth-sefydliad, anghonfensiynol, drylliwr delwau, dyn teulu, dyn ffeind.

Y cymydog hael ei groeso ar ei aelwyd bob amser – 'stedda, cym banad' yn syth bin.

Mi fu'n draddodiad acw am flynyddoedd y byddai 'na griw yn galw yn tŷ ni am banad ar foreau Sadwrn, ac mi fyddai Arthur yn un ohonyn nhw – ar ôl bod yn nôl ei bapur a galw yn siop Llwyn Onn, mi fydda 'na 'S'mae' o'r drws ffrynt ac Arthur yn dod drwodd i'r gegin. Ac mi fyddai 'na sgwrsio a chwerthin a storïau am ddwyawr a mwy.

Mae'n stryd ni yn lletach na stryd gyffredin! Mae'n ffordd, a honno'n ffordd go lydan yn arwain am Bentrefelin a Chricieth. Ond fe lwyddwyd i gael sawl Parti Penamser dros y blynyddoedd – pen-blwydd fy nhad yn drigain, a Glyn Povey yn dod â tharpwlin anferthol fel cysgod dros yr ardd gefn, cario meincia o bob man a chyfeddach a chanu tan yr oriau mân; parti llongyfarch Aled Jones Williams ar ennill y goron, a'r stryd i gyd yng nghefn y tŷ acw, ac Arthur wedi ei wisgo fel archdderwydd gorsedd Llydaw, yn arwain seremoni'r coroni. Dyddiau difyr, dyddiau llawen, llawn hwyl. Ac Arthur yn ganolog i'r cyfan.

Cip tu mewn i'r Ogof

Mi fuon ninnau, fel sawl un yn y gymdogaeth acw yn Ogof Arthur – ac mi fûm ddiolchgar sawl tro am y wal gadarn ar hyd ymyl y lôn i gydio ynddi er mwyn medru cyrraedd adra!

Mae gen i luniau adra o bartïon pen blwydd Elen a Dafydd, y mab – blwyddyn sydd rhwng y ddau – lluniau llawen, lluniau bach annwyl, lluniau ohonyn nhw ar eu beics bach yn y cefn, ac Arthur wrth ei fodd.

Mae Dafydd yn cofio'r adegau yn ystod yr haf, pan y byddai o ac Euros ei frawd yn eu harddegau, wrth fynd â Mot am dro, yn mynd yn un swydd heibio i Brynteg gan y byddan nhw'n siwr o weld Arthur (a'i het wellt ar ei ben) ac Olwen yn eistedd y tu allan o flaen y tŷ, ac y byddan nhw, o lygadu'r jwg, yn siwr o gael cynnig llymaid! Yr hogiau wrth eu bodd wrth reswm! Wyddwn i 'rioed byrred fydda taith Mot!

Doedd o ddim yn un am gydymffurfio – enghraifft o hynny oedd ei golofnau 'Rafin y Pafin' a'i olygyddol yn *Yr Wylan*, papur bro Dyffryn Madog. Roedd o â'i fys ar byls y gymuned, ei glust yn agos at y pafin, yn dynnwr coes heb ei ail, a throeon trwstan yr ardal yn troi'n benillion digri yn y papur. A chorddi'r dyfroedd wedyn, yn fwriadol wrth reswm – llond tudalen flaen *Yr Wylan* o lunia' siediau, ysguboriau a chytiau sinc un tro a'r pennawd 'Pa un tybed fydd adeilad newydd Capel y Porth?'

Ei lysenw gan y disgyblion yn Ysgol Eifionydd oedd 'Cuddly Joe', enw annwyl ar athro annwyl a phoblogaidd.

Dw i'n cofio Arthur yr athro hefyd, gan mod innau'n gynddisgybl o Ysgol Eifionydd. Yn ddiweddarach, roeddan ni'n gydweithwyr yno, a chofiaf am yr adegau pan fyddai gynnon ni wersi rhydd, y bydda Arthur ac ambell un arall, yn hel yn fy nosbarth i am sgwrs ac ambell waith i ganu efo'r piano yng nghefn y dosbarth. Dyddiau difyr.

Ac uchafbwynt, yn steddfod yr ysgol yn flynyddol, fyddai deuawd Arthur a Gareth Connick – 'Y Ddau Wladgarwr' fydda hi bob tro.

Trefnodd Arthur, ar ei ymddeoliad o'r ysgol, daith i Ddulyn, i'r detholedig rai o blith y staff! Ac ro'n i'n un o'r rheini! Nerys, Sharon a fi oedd yr unig ferched gafodd wahoddiad! Taith fythgofiadwy. Llond bol o chwerthin a hwyl . . . ond wna i ddim manylu!!

Arthur – oedd wedi ei wreiddio mewn Cymreictod penodol ardal ei fagwraeth, ac o fanno roedd o'n deall a dirnad y byd. Ac i'r fan honno y dychwelodd.

Pedwarawd Parti Penamser yn dathlu Coroni Aled Jones Williams yn 2002 - Glyn, Robin, Dafydd ac Arthur, gyda Linda'n cyfeilio.

Dau hen gyfaill
– Eifion ac Arthur yn dathlu ym mhriodas Elen!

Mynd ar wyliau . . . a bron a'i larpio gan gi!

Roedd Helen a Dafydd Roberts, a Gwen ac Eifion Williams ymysg ffrindiau agosaf Arthur ac Olwen ym Mhorthmadog a mwynhawyd sawl gwyliau dros y dŵr gyda hwy. Un o Benmachno'n wreiddiol oedd Eifion, un llawn hwyl a pharod fel Arthur i dynnu coes, a'r ddau'n cyd-oesi'n yr ysgol gynradd. Ac roedd un tebygrwydd arall; cymaint o wallt coch gan Eifion nes cael ei adnabod fel Cochyn Tan Lan yn ei henfro!

Cofiwch, doedd hynny ddim yn atal Arthur rhag cofnodi'r amgylchiadau a arweiniodd at wagio waled ei hen gyfaill – a'i esgus, mae'n amlwg, yn dal dim dŵr gyda'r awdurdodau.

O'n i ddim yn cymryd lle neb arall . . . wir yr!

Os ydych am barcio yn rhywle,
Ac am fod yno yn hir,
Gwnewch yn siŵr fod llinellau bob ochr
I'w gweld yn berffaith glir.
Os ydych yn parcio'n ddiofal
Heb feddwl, a'ch pen yn y gwynt
Dros linell y boi drws nesa',
Mi gostith rhyw dri deg punt.
Ond a yw hynny yn gywir?
Dyna yw'r cwestiwn yr awrhon,
Os am ateb i'r broblem
Gofynnwch hynny i EIFION.

A do, bu bron i Arthur gael ei larpio gan gi un tro. Carys a gofnododd yr hanes.

Roedd Arthur ac Olwen ar wyliau hefo Helen a Dafydd, neu Dafydd Kandy Kitch i bobl Porthmadog, ac adroddodd Dafydd hanesyn digri am y tro pan aethon nhw i Lanuvio yn Yr Eidal. Roedden nhw'n aros mewn gwely a brecwast y tu allan i'r pentref, ac er mwyn cyrraedd Lanuvio, roedd yn rhaid cerdded ryw hanner milltir, ar hyd lôn fechan, ac i fyny rhiw. Roedd yn lle 'go grand,' medda' Dafydd, 'ryw ugain milltir o Rufain.'

Wedi mwynhau eu hunain am y diwrnod yn y pentref, penderfynwyd ei throi hi am yn ôl i'r Bî a Bî tua'r unarddeg o'r gloch. Aethai Helen ac Olwen ar eu hynt o flaen Dafydd ac Arthur. Yn sydyn, newidiodd naws y pentref, ac roedd yr hyn ddigwyddodd wedyn yn rhyfedd iawn! Ymddangosodd cŵn ym mhob twll a chornel o'r pentref. Roedd Dafydd yn gweld y peth yn ddigri, ond nid felly Arthur!

'Mi ddaeth 'na homar o St Bernard allan o rwla,' meddai Dafydd, 'roedd o'n anfarth, a'i ben o fel Moel y Gest, a dechra' chwyrnu, a'n dilyn ni. Roedd o'n glafoerian, ac yn fygythiol fel rhyw fath o injan frathu. Mi ddechreuodd Arthur redag i lawr y ffordd allan o'r pentra, ond mi benderfynish i fynd ar fy mhedwar a chyfarth fel ci yn ôl ar y crwmffast! Roedd Arthur yn wyllt gacwn efo fi am neud hynny!'

Ond, er syndod i'r ddau, fe stopiodd y ci yn stond, a'r cŵn eraill o ran hynny, fel 'taen nhw wedi cyrraedd at ryw linell derfyn, ac wedi eu hyfforddi i beidio â mynd yn ddim pellach. Yn ddiarwybod iddyn nhw, roedd hi'n arferol bod trigolion y pentref yn gollwng eu cŵn yn rhydd ar ôl unarddeg bob nos, a hynny er mwyn dychryn ac atal lladron a ddeuai yno o Rufain.

Felly, mi roedd yna ryw fath o linell derfyn, ac mi fyddai Arthur a Dafydd wedi bod yn hollol ddiogel wedi cyrraedd y tu hwnt i'r ffin hwnnw, ac nid Dafydd yn smalio bod yn gi a chyfarth yn ôl wnaeth y tric! Ond roedd Arthur yr un mor lloerig efo fo â'r St Bernard!!

'*Roedd ei lais yn gynhesach i'r galon*"

ELIN JONES yn cofio athro hoff

Cyrhaeddodd Arthur Thomas a finna' Ysgol Eifionydd ym mis Medi 1973, fo fel athro gwyddoniaeth a finna' fel disgybl. Roedd o yno o'i wirfodd a finna' yno am nad oedd gen i 'run dewis ond bod yno ac, o edrych yn ôl ar y cyfnod hwnnw, fedrai ddim ond diolch i'r drefn amdano fo. Fe lwyddodd i wneud y lle'n llawer llai o fwystfil yn ei ffordd rhwydd a rhadlon.

Doedd o ddim yn enghraifft nodweddiadol o athro ac yn sicr doedd o ddim yn enghraifft nodweddiadol o athro gwyddoniaeth. Roedd o'n llawer difyrrach na'r rhan fwyaf o'r athrawon eraill yn yr ysgol ar y pryd yn fy meddwl i. A chyn i mi bechu neb prysuraf i gyfaddef mai fy mai i yn unig yw hynny, ac nad oedd unrhyw fath o ddiffyg ar yr athrawon am hynny, wrth gwrs. Roedd ei lais o'n esmwythach i'r glust ac yn gynhesach i'r galon na llawer o'r lleisiau awdurdodol oedd yn dueddol o lenwi'r ysgol yn fy nghyfnod i yno. Roedd yna griw ifanc dedwydd eraill o athrawon hefyd ond, yn sicr, Arthur Thomas oedd yn dod i'r brig o ran ei oddefgarwch tuag at sbesimen fel fi oedd yn ddi-glem cyn belled ag yr oedd gwyddoniaeth yn y cwestiwn.

Yn anffodus, ychydig iawn, iawn, prin ddim a dweud y gwir yr ydw i'n ei gofio o fy nghyfnod yn yr ysgol uwchradd boed yn wersi neu'n hamdden, ond mae gen i ddarlun clir croyw o Arthur Thomas yn bownsio cerdded ar hyd y coridor i'm cyfarfod a'i gyfarchiad bob amser yn gysur i hogan yn ei harddegau oedd yn hollol anghyffforddus yn y ffasiwn le.

Fy atgof pennaf ohono ydi'r difyrrwch a gawsom gan glasuron geiriol y pennaeth ar y pryd. Pethau fel hyn a glywsom yn y gwasanaeth boreol, 'Llongyfarchiadau mawr i Bethan Jones ar ennill drwy Gymru ar y ras glwydo.' Ras glwydi, hurdles, oedd o'n feddwl ei ddweud ond diolch iddo fo am beidio! Cofnododd yr athro annwyl y perlau yma i gyd a chefais f'atgoffa o dro i dro, wrth daro arno ar y stryd ym Mhorthmadog, o'r stribedi straeon hynny a wnaeth bywyd yn llawer mwy pleserus na'r disgwyl yn yr ysgol uwchradd.

Roedd o fel y chwa awyr iach 'na sy'n rhoi rhyw hwb bach, heb i ni wybod, i bawb ohonom ni weithia'.

P'nawn yn y Plu

IAN PARRI

P'nawn Sadwrn gwlyb a gwyntog ym mis Chwefror a minna' a 'ngwraig Cath wrthi fel lladd nadroedd yn paratoi i agor Tafarn y Plu. 'Mhen rhyw awran daw criw bychan ond brwd at ei gilydd o flaen y tân yn y bar ar gyfer y gêm rygbi. Cymru yn erbyn rhywun ne'i gilydd nad ydw i'n sicr pwy ydyn nhw.

Ond yn gynta' mae petha' i'w gwneud. Hel priciau coed a glo o'r cefn ar gyfer cynnau'r tân hwnnw. Paratoi rhyw blateidiau bychain o ddanteithion i'w rhannu ar yr egwyl. Sicrhau bod y Cwrw Llŷn a'r Brains a'r Wrexham Lager o safon derbyniol. Gwneud yn siwr bod digon o rew yn y bwced, pacedi creision Jones yn y fasged, a nad ydi'r poteli Penderyn, Barti Ddu a jin Dyffryn Dyfi yn wag. Llenwi'r oergell efo poteli seidr Dafarn Dywyrch a gwin Pant Du. Trefnu bod newid yn y til . . .

Cant a mil o fân orchwylion hollbwysig, a'r munudau tan y byddai'n amser agor y drysau yn prysur cael eu llyncu. Mae'r cloc pendil yn tipian yn fygythiol ar y pentan, a ninna'n ffrwcsio fel ieir o gwmpas y lle gan deimlo ein bod ymhell o fod yn barod.

Curo gwyllt ar y drws ffrynt, fel bwm beili wedi dod i ddwyn y celfi, nes bod y palis pren rhwng y drws a'r bar yn 'sgytian a'r addurniadau pres ar y silffoedd yn tincial. Rhuthro yno'n flin i gyd i weld pwy gythra'l sy'n codi'r fath stŵr. Agor y drws led y pen, a gweld rhywbeth tebyg i ddwy lygoden fawr wedi dianc o ryw ffos. Diffynnydd un, eich Anrhydedd: Arthur Morgan Thomas. Oedran – ifanc ei ysbryd. Cyn-athro. Awdur. Rebal. Diffynnydd dau: Olwen Ifona Thomas. Oedran – feiddiwn i byth ofyn. Cerddor. Gwraig Arthur.

Hi wedi ei lapio mewn côt law fel Capten Scott, efo'r cwfl at ei thrwyn a rhywbeth call am ei thraed, yn ôl gofynion yr amgylchiadau. Fynta' mewn anorac a rhyw 'sgidiau dal adar fyddai'n fwy addas ar gyfer eu gwyliau rheolaidd ym mynyddoedd bythol-hafaidd Gran Canaria na strydoedd gwlybion bythol-aeafol Llanystumdwy yn Eifionydd. Mae'r glaw yn pistyllio hyd wynebau'r ddau ac i lawr eu trwynau, gan gasglu yno'n ddiferion oer.

'Gobeithio dydy o'm o bwys gen ti, ond daethon ni ar fws cynt nag oeddan ni wedi ei fwriadu er mwyn inni ga'l bach o gwrw cyn y kick-off,' meddai Arthur, neu eiriau tebyg, efo ambell i reg liwgar wedi ei gwthio'i mewn yn feistrolgar yma ac acw. Mae'n difetha hwyl y diferyn sy'n loetran ar flaen ei drwyn, fel ploryn gwlyb, drwy ei wthio i ffwrdd efo cefn ei law. Ac i mewn a fo heb ragor o seremoni i lwyd-dywyllwch y bar, efo Olwen wrth ei gwt.

Roedd y ddau yn dŵad draw atom ar y bws o'u cartref ym Mhorthmadog, tua saith milltir i ffwrdd, ar ddyddiau gemau rhyngwladol pan nad oeddan nhw wedi llwyddo i fynd i'r gêm. Wel, fysa' gyrru'r car neu Jipsan y garafanét draw yn da i ddim efo cymaint o ddiod angen ei yfed, na fysa'?

Datblygodd y drefn hon i raddau oherwydd ein bod yn un o'r ychydig dafarnau yn yr ardal, mwya'r cywilydd i'r lleill, fyddai'n dangos bob gêm – rygbi neu bêl-droed – efo sylwebaeth Gymraeg. Roedd hefyd rhywbeth i'w wneud efo'r ffaith ein bod yn rhedeg y busnes yn drwyadl Gymraeg a Chymreig, o ran y gwasanaeth, yr awyrgylch a'r cynnyrch. Roedd hynny wrth fodd y ddau, ac yn rhywbeth yr oeddan nhw'n teimlo oedd yn haeddu eu cefnogaeth.

Dyma drio ymddiheuro am nad ydan ni'n hanner barod, nac hyd yn oed wedi dechrau cynhesu adeilad sydd yn un digon oer ar y gora'. Diawch, dyda ni ddim hyd yn oed wedi cario'r teledu o'n fflat uwchben y dafarn i'w osod yn ei braced arbennig ar y wal.

Doeddan ni ddim yn credu mewn difetha awyrgylch yr hen dafarn fach hen ffasiwn hon, union gyferbyn â gweithdy'r crydd lle cafodd Lloyd George ei fagu gan ei ewythr a'i fam weddw. A dyna'n sâff i chi fyddai'n digwydd 'tasa' 'na deledu yn ei lle drwy'r amser, fel babi blwydd yn sgrechian am sylw yn y gornel, fel y cewch chi mewn amryw lefydd. Cyfaddawd bach ar ein rhan ni oedd halio ein set deledu bersonol i lawr y grisiau ar gyfer gemau rygbi a phêl-droed rhyngwladol, ac yna ei chipio'n ôl i'w lle arferol cyn gynted ag y byddai'r chwiban olaf wedi ei chwythu.

'Duw duw, 'dio'm bwys am hynny. Cer i dynnu peint i mi,' mae Arthur yn mynnu, gan syllu drwy sbectol sy'n prysur stemio'i fyny fel ffenast' siop sglodion. Tra rydw i'n gorfod esgeuluso fy ngwaith paratoi er mwyn gweini diod i'r llygod mawr sychedig, diod ysgafn i Olwen y tro hyn ond dim byd o'r fath sothach i'w gŵr, mae Arthur yn bwrw ati i ail-drefnu'r dodrefn i batrwm yn nes at ei ddant ei hun. Cyn pen dim mae'n sychu'i weflau efo cefn ei lawes ac yn barod am ei ail.

Mae'n bachu ei hoff gadair freichiau ar gyfer gorchwyl y p'nawn, a'i llusgo i'w lle ar hyd y llawr o deilsiau cerrig. Hen beth wedi gweld dyddiau gwell ydy hi, fel pawb arall sydd yma, cadair digon tebyg i rai eisteddfodol ond bod mymryn o glustog ar ei thin i wneud yr oriau hirion yn fwy cyffyrddus.

Ac yno mae o, fel Cynan yn ei fri, yn traethu a chyfarwyddo wrth i mi stryffaglu i roi trefn ar bethau yn y gwyll, gan nad ydan ni am roi'r goleuadau ymlaen eto. Fydda' hynny ond yn denu mwy o gwsmeriaid fel gwyfynod at gannwyll cyn ein bod yn barod. Creu mwy o strach fyth fydda' hynny. Cofiwch, bydd ambell un o dro i'w gilydd yn gwasgu'i drwyn yn ddigywilydd yn erbyn y ffenast', fel plentyn glafoeriog y tu allan i siop da-da, er mwyn gweld a oes 'na ryw obaith o gael dŵad i mewn i 'mochel.

Mae o wrthi'n rhoi'r byd yn ei le hyd yn oed â minna'n sefyll ar ben stôl sigledig, fel balerina ungoes, yn trïo gwthio'r bali teledu i'w le yn y braced metel ar y wal efo help jochiad go lew o hylif golchi llestri i iro petha'. Ac wedyn cyn disgyn o ben y stôl mae'n rhaid canfod yr un cebl cywir, o ddewis helaeth o hen rai sydd i gyd yr un lliw, i gael signal o'r erial sydd rywsut ne'i gilydd wedi goroesi ar y to drwy sawl storm. Nid tafarn ar gyfer yr unfed ganrif ar hugain, efo'ch sianeli chwaraeon drudfawr a swnllyd ar sgrin mwy nac un y Plaza, mo'n lle ni. Yr un stryffig bob tro, ac Arthur yn mwynhau bob eiliad o'r syrcas. Y diawl iddo.

Ac o'r diwedd rydan ni'n llwyddo i gael llun ar y sgrin a mymryn o fywyd yn y grât o dan y pentan o lechen frown. Mae'r gwynt yn chwibanu'n flin wrth drïo gwthio'i ffordd i lawr y simna' i ymuno yn yr hwyl, a'r bar yn llawn mwg a gwreichion a chlecian coed. Mae Arthur yn suddo'n ddyfnach yn ei gadair, o fewn pellter mentrus i fysedd y fflamau ond sydd eto wedi ei fesur i'r fodfedd. Oes, mae oriau digyfaddawd o'i flaen o slotian cwrw, gwylio rygbi, bwyta, tynnu coes, adrodd hanesion am dripiau rygbi a fu, ac egluro ffaeleddau'r dyfarnwr a'r chwaraewyr i rhai di-glem fel fi. Heb sôn am y melltithion a'r rhegfeydd.

Ia, y rhegfeydd. Roedd ganddo eirfa syfrdanol o eiriau mwya' coch a fydda' wedi gwneud i longwr wrido at ei glustia'. Gallai'n hawdd fod wedi rhegi dros Gymru, capten balch y tîm siwr o fod, pe byddai 'na gystadleuaeth ryngwladol o'r fath. Bydda' llawn cymaint o fedalau aur am regi wedi bod yn ei gartref yng nghysgod Moel y Gest â sydd yna o'r cadeiriau iddo eu hennill mewn eisteddfodau.

Dwi'n ei gofio yn fy annog i gael cip ar wefan o'r enw Y Rhegiadur, gan ymchwyddo efo balchder gwirioneddol wrth ddatgan ei fod ynta' wedi cyfrannu ambell em werinol at y casgliad. A dyna fwrw ati i adrodd strybîb ohonyn nhw, gan dagu ar ei eiriau drwy'r chwerthin, a'r dagrau'n powlio i lawr ei ruddiau.

Cofiaf o hefyd yn adrodd hanes am ymdrech ganddo, yr wythnos honno, i fynd am dro bach dros y Cob ar draws aber Afon Glaslyn. Wrth reswm, roedd bwriad o bicio i far gorsaf trên bach Ffestiniog, ar ben Porthmadog o'r Cob, am lymaid ar y ffordd yn ôl.

Ar y pryd roedd pres yn cael ei wario fel dŵr ar yr orsaf, ac ar y Cob lle rhedai'r trên drosto, wrth i'r cwmni ddatblygu'r busnes ymhellach. Cafodd y llwybr cyhoeddus wrth ochr y rheilffordd yr oedd Arthur yn arfer ei ddefnyddio ei gau ganddynt dros dro, er lles diogelwch y cyhoedd. Roedd hynny yn symudiad oedd yn mynd o dan groen rhai o'r Cymry lleol, oedd yn gweld y cwmni fel estroniaid oedd yn ceisio rheoli a meddiannu'r lle.

Wrth ymlwybro'n hamddenol ar hyd yr union lwybr hwnnw yn mwynhau'r golygfeydd at fynyddoedd Meirionnydd, gan anwybyddu'r arwyddion oedd yn dweud wrtho am beidio, gwichiodd trên i stop wrth ymyl Arthur mewn un cwmwl o ager a mwg a dicter. Dyma wyneb pardduog, efo'i gap pig ar osgo, yn gwthio'i hun allan o gab yr injan a dwrdio Arthur mewn Saesneg cras. Os bu i ddyn erioed 'ddifaru agor ei big... Cafodd ei hanes, ei hyd a'i led, a chyngor ynglŷn â lle addas i roi ei gap, ac hyd yn oed gynnig o help i alluogi hynny i ddigwydd, mewn llifeiriant o eiriau lle mai prin eu chwarter oedd ddim yn rhegfeydd. Tebyg bod ei wyneb pardduog yn bictiwr.

Serch hynny, gan fod Tafarn y Plu bryd hynny wedi hen orfod troi'n ddibynnol ar weini bwyd er mwyn cadw'r blaidd draw, fel sawl lle arall, bu ni'n ymdrechu'n galed o'r cychwyn cyntaf i gael yr yfwyr i beidio â rhegi. Neu o leiaf, os nad oeddan nhw gallu ymatal, i regi o dan eu gwynt fel nad oedd modd eu clywed. Gofynnodd sawl un be' fydda' fy ymateb i 'taswn i'n taro fy mawd efo morthwyl. Ond gan nad ydw i mo'r person mwya' ymarferol, prin oedd y peryg' i hynny ddigwydd yn gyhoeddus.

Roedd gen i a Cath gof byw iawn o ba mor anghysurus fuon ni ar un achlysur wrth geisio mwynhau pryd o fwyd mewn tafarn ar Ynys Môn, efo dau o'r selogion lleol yn bytheirio wrth y bar yn eu Monwyseg mwya' lliwgar. Bu hi'n frwydr galed i gael y maen i'r wal yn Llanystumdwy, ac mi lyncodd ambell un ful a chadw draw oherwydd nad oeddan nhw'n cael rhegi bymtheg y dwsin. Ond daeth pawb arall i barchu'r rheol anysgrifenedig hon maes o law, gan ymddiheuro'n syth os oedd ambell air na ddylai fod wedi dianc yn llithro o'u cegau pan oedd y gwin a'r cwrw wedi llacio'u tafodau. Ia, gan gynnwys pen-rhegwr

Cymru, yn ei oed a'i amser. Lyncodd o yr un mul, chwarae teg, 'ngwas i. Pwy sy'n d'eud na allwch chi dynnu cast..?

Mi ddaethon ni'n ffrindiau yn ogystal â thafarnwyr a chwsmeriaid o bobtu'r bar, hyd yn oed os oedd y ddiod gadarn bron bob tro yn chwarae rhyw ran yn yr hwyl. Oedd, roedd yn hoff o'i beint, heb os, ond roedd bob tro'n hwyliog, nid yn sarrug fel y bydd rhai'n mynd yn eu cwrw. Ond roedd pethau eraill yn gyffredin rhyngon ni. Arthur a minna' a'n hoffter o'r gair ysgrifenedig a'n hymrwymiad i Gymru a'r Gymraeg a'n golwg rhyng-genedlaethol ar y byd. Olwen a Cath yn hannu o'r un parthau yn y canolbarth, ac efo llawer o ddiddordebau'n gyffredin, heb sôn am dafodiaith ac acen. Iaith y defaid, fel y cyfeiria' Arthur at eu sgwrs, wrth dynnu coes y ddwy.

Cafwyd sawl orig ddifyr yn eu cwmni dros alwyni o gwrw a sawl potel o win coch. Gallai'r trafod ymlwybro i unrhyw gyfeiriad, o lyfrau i chwaraeon i wleidyddiaeth, neu eu teithiau balch wrth ddilyn gyrfa eu merch Elen Hydref fel telynor proffesiynol. Hyd yn oed wrth i drafferthion Arthur efo'i draed waethygu a'i gerdded yn dirywio, a ninna' erbyn hynny wedi rhoi goriadau'r Plu yn nwylo menter gymunedol yr oedd o'n falch o brynu cyfranddaliadau ynddi, mi fydden ni'n trefnu i gyfarfod mewn rhyw dafarn fyddai o fewn cyrraedd hawdd i arosfan bws.

A gwae chi pe meiddia' unrhyw un awgrymu efallai y byddai'n hoffi mymryn o help llaw i gario'i ddiodydd o'r bar. Dim ffiars o beryg'. Dyn penderfynol i'r diwedd, nad oedd am ildio i unrhyw amgylchiadau anffafriol. Iechyd da, yr hen ffrind.

Arthur, y bardd gwlad

Yn aml iawn, canodd Arthur wrth ei alwedigaeth fel bardd gwlad. Mae'i englynion coffa yn enghreifftiau gloyw o'i ddawn i bortreadu ac i fynegi'r chwithdod a ddaw yn sgil angau – boed hynny am hen gymeriadau hoff neu am rai a gollwyd yn ifanc ac o flaen eu hamser.

Byddai'n canu i gyfarch cyfeillion wrth ddathlu a chofio ambell garreg filltir bwysig yn ogystal ag i dynnu coes ar brydiau – a'i chael hi'n ôl, wrth gwrs!

Er cof am Leri, Clog y Berth

Gwraig annwyl, llawn hwyl o hyd – a'i mynych
    gymwynas. Gwraig hyfryd
lawn afiaith, un lon hefyd;
yn ei bedd – mae'n wacach byd.

Yr Wylan, Chwefror 2017

Ted Breeze Jones

Heibio yn ddiymwybod – yn ei glwyf,
   A mis glaw yn darfod;
  Un awr hwyr, ar ôl troi'r rhod
  Hunodd adarydd hynod.

Traethai'r ffraeth naturiaethwr – o'i arlwy'n
    Llawn bwrlwm y sgwrsiwr
  Â gwir anian gwerinwr
  A'i hwyl iach – rhyfeddol ŵr.

Rhywfodd, fe rannodd gyfrinach – y wig,
   Neu glogwyn, a chilfach;
  Ni roddwyd un ddawn rwyddach
  I drin byd aderyn bach.

Sŵn galaru tylluan – a wania
   Ddu ffenest ei guddfan;
  A galwad oergri gwylan
  O'i golli ef i gell llan.

Barddas, Rhif 245, Mawrth/Ebrill 1998

Er cof am Karen Maskell
a fu farw ar 1af o Fedi, 1994 yn 13 oed

Nid arwydd ei phryderon – a wenai'n
    Annwyl ar gyfeillion;
   Tynerwch oedd harddwch hon
   O'i hing alwodd angylion.

Gyda dewrder, ei berroes – hi welai
    Yn hwyliog a chyfoes;
   Pob cyfnod o drallod 'droes
   Yn anian 'lywia'i heinioes.

Ni welir mwyach heulwen – fe ddaw'r niwl,
    Fe ddaw'r nos i'r wybren;
   A daw'n llid i'w daenu'n llen
   Y cur o golli Karen.

Er cof am Glenys Wyn ap Tomos
Ionawr, 2006

Yma'n gorwedd mewn heddwch – yn ifanc,
   Mae'r afiaith a'r dycnwch,
 A geiriau cyfeillgarwch
 Heb lais i'n cyfarch o'r blwch.

Ni fethai'r wên afieithus – a daenai
   Ar hyd wyneb Glenys
 Droi'i gwedd a'i brwdfrydedd brys
 I redeg yn siaradus.

Ar awr pan welai'r eira – o'i herchwyn
   Yn orchudd i'r Wyddfa,
 I'w stafell ni ddoi gwella,
 Ymbellhau roedd dyddiau da.

A bwrlwm afon Barlwyd – yn llifo
   Uwch llefain yr arswyd
 A'i waeledd dros ei haelwyd
 Yn llen i oes fu'n llawn o nwyd.

Ar ei hôl, wrth ffarwelio – ymunwn
   Am ennyd i gofio
 Hon oedd frwd er budd y fro,
 A hon na welwn heno.

Medwyn

Yn ymadael mae Medwyn – o Eifion,
    'Rôl llafur sawl blwyddyn;
   Gwel ddrws agored wedyn
   A modd i deithio fel 'myn.

Rhyw afiaith wrth drin rhifau, – a'i gymorth
    I gamu dros rwystrau
   Yng ngwead hafaliadau
   A'u trechu fel dyblu dau.

Heb alwad gwaith, caiff deithio – yn fynnych
    Hyd lwyfannau dawnsio;
   Ei atal ni wneir eto,
   Yn ddarn o'r 'Wal Goch' fydd o!

Wil

Dysgu plant dan anfantais – a'i allu
   Wnai'n bwyllog a chwrtais;
  Un o fil, gŵr di-falais
  A'i falmaidd, felodaidd lais.

Bonheddwr, gŵr diguro – ydyw Wil
   Ac un da am olffio;
  Âf a dweud y gwn fod o
  Yn waldiwr well na Faldo.

I Glyn Povey
ar ddathlu ei ben-blwydd yn 65 mlwydd oed

Beunydd ddaw neb i'w boeni – am Artex
   Na mortar, na llechi;
  Na phreswylfod i'w godi,
  Na bath – dim ond Bi and Bi.

Yr Wylan, Gorffennaf 1991

Josie

Ar achlysur ymddeoliad Mrs Josie Havelock
wedi iddi gadw bar y Stesion am gyfnod hir

Mae heddiw'n ddiwedd cyfnod
  Wedi blynyddeodd maith
Tu ôl i'r bar, yng nghanol
  Y pleser a'r holl waith.
A hyn sy'n wir am wraig y tŷ,
Yw iddi wneud cyfeillion lu.

Hon oedd bob tro yn barod
  I roddi at bob peth,
Er mwyn i bob elusen
  Gael cymorth yn ddi-feth,
A'r atgof ddeil amdani'n awr
Yw'r wraig a'i gwên a'i chalon fawr.

Gobeithio y caiff bleser,
  A hamdden iddi fydd
Wrth deithio yma ac acw
  Ar ôl cael traed yn rhydd.
Ein dymuniadau iddi hi
Ddaw gan bob un ohonom ni.

Yr Wylan, Gorffennaf 2016

I gyfarch hen gyfeillion

Ar noson yng Ngorffennaf
I'r Fic, ar Benrhyn Llŷn
Y casglodd criw amrywiol
A dynion oedd pob un,
I gofio am flynyddoedd
Hedfanodd fel y gwynt,
Yng nghwmni peint a phrydyn,
Ail-greu y dyddiau gynt.

Bu ganddynt oll gysylltiad
Ag ysgol yn y sir,
Academi Eifionydd
Yw hon a dweud y gwir.
Rhowch ennyd yma heno
I sôn am un neu ddau,
Cewch amser i gael llymed
Yn siŵr cyn amser cau.

Ymysg y to aeth gyntaf
Huw Trefor a Wil Bach,
A braf bod arnynt eto
Rhyw olwg digon iach,
A Belis heb heneiddio
Sy'n edrych arnai'n syn,
O'r ogofau yn Nantlle,
Wel ylwch, dyma Glyn.

Un gafodd gyfnod simsan
Fu bron â throi yn nos
Ond heddiw yn llawn bywyd
Yw'r llenor, Penri Jones.
Chwi glyswoch am ei ddefaid
A grwydrai hyd y wlad,
Mae'n rhyfedd na fu eto
Ar raglen Dei – Cefn Gwlad.

Aeth Wati i fyd y wefan
A'r ebost, dweud y gwir,
Huw Gwynne, aeth yntau'n drefnydd
Byd cerdd y Cyngor Sir –
Ond colli wnaeth dalentau
Mae hyn cyn sicred im,
Petai ond darn clasurol
Sef sŵn y botel gin.

John Parry sy'n saernïo
Dodrefnyn fesul awr,
Ac yntau Bob 'rarlunydd
Sy'n gwerthu am brisiau mawr
A Dewi Twm yn bennaeth
Ar ysgol ger y llyn,
Rwy'n siŵr nad yw'r Jacsoneg
I'w chlywed yn fan hyn.

Mae dau sydd yma heno
Yn gadael gyda hyn,
Ffarwelia Bej a Deio
Mewn dyddiau, dweud y gwir
Gan adael Phil ac Aled,
A Medwyn yn eu lle
A Siôn a Stan – ond cofiwch
Rhen Gareth, ddaeth o'r de.

Mae un sydd heb ei enwi
Ac Eddie ydyw hwn,
Y Feis, Di-mob ac eraill
Fydd byw am byth mi wn,
Wrth gloi'r penillion yma
'Nymuniad yw o hyd,
Y bydded heulwen iechyd
Yn olau ar eich byd.

Es Es Teitanig Tŵ

Dafydd Fron a aeth i forio,
Cwch bach newydd sbon oedd ganddo,
Ond wrth groesi'r bar i'r harbwr,
Mynd yn sownd a wnaeth y llongwr.

Trodd propelar bach y teclyn
Yn ddwfn iawn i'r tywod melyn,
Yno bu am fwy nag orig
Ar y bar, yn ei aredig.

Derbyn gyngor gan un arall
Sydd, yn hwylio, yn fawr callach,
Gwell dynwared y Teitanig
Yn y bath â chychod plastig!

Y Frân Wen,
Yr Wylan, Mehefin 1999

Baled y Papur Tŷ Bach

Un diwrnod, ger y capel
A saif yn y stryd fawr,
Roedd gŵr yn casglu papur
A rowliai hyd y llawr.
Beth wnaeth i Arwyn ruthro'n ffôl?
Wel, colli deunaw toilet rôl.

Roedd newydd fod yn prynu
Y rholiau yn y siop,
A rŵan, roedd na lanast
A'r traffic ddaeth i stop
Wrth weld rhyw ddyn yn mynd yn ôl
I gasglu deunaw toilet rôl.

Eu gosod wnaeth yn gastell
Wrth ymyl 'giât y saint',
Rhyfeddu wnâi'r tramwywyr
Ar grefftwaith mawr ei fraint.
Bydd CADW yn fuan ar ei ôl,
I godi castell 'toilet rôl'!

Ap Andrecs,
Yr Wylan, Mawrth 2010

Anffawd Bryn-teg

Un bore braf o Ragfyr
a rhew ar lawr a tho,
aeth Arthur Thomas allan
am sgwrs a mynd am dro.

Pum cam yn ddiweddarach,
a chlywyd clec go fawr,
cans roedd Syr Arthur Thomas
wedi mynd ar ei din ar lawr.

Pan ddaw 'rhen Arthur heibio
i'ch swyno â thôn ei lais,
rhowch glustog ychwanegol
i leddfu poen y clais.

Torvill Din,
Yr Wylan, Ionawr 2019

ERTHYGLAU RAFIN Y PAFIN

(Chwefror 2008)

'Pam da ni'n gorfod bod yn gini pigs bob tro,' meddai Now Garn noson o'r blaen yn y 'Cochyn'.

'Am be ti'n sôn rŵan?' holodd Dei Parsal.

'Wel, mi ges lythyr drw'r drws yn deud fod y lori ludw ond yn dŵad o gwmpas bob pythefnos o hyn ymlaen,' medda Now Garn.

'Sut fod hynny'n gneud ni'n gini pigs, ta?' holodd Dei Parsal.

'Wel dydi hyn ond yn digwydd yn yr ardal yma. Di o ddim yn digwydd o gwmpas Caernarfon,' medda Now Garn, 'os oes na rwbath isio i newid, ni sy'n gorfod gneud. Fatha cau 'sgolion.'

'Be ti'n feddwl?' medda Wil Chwys.

'Wel sbia lle ma nhw'n gneud y llanast mwya, Dwyfor a Meirionnydd bob tro,' medda Now Garn.

'Mae o'n deud y gwir,' meddwn i, 'dwi'n cofio pan oeddan nhw'n newid addysg uwchradd. Yn Pwllheli a Dolgellau oedd y coleg cyntaf o'r math yma, nid yn ardal Caernarfon a Bangor.'

'Dyna pam dwi'n deud ma ni di'r gini pigs,' medda Now Garn. 'Ecsperimentio efo ni yn fama am dydi bobol bwysig y cyngor a'u mêts ddim yn byw yma, de.'

'Oes isio cau ysgolion, ta?' medda Wil Chwys.

'Os ydi nhw i lawr dan ddeg o blant, mi wela i'r point,' meddwn i, 'ond cau ysgolion efo chwe deg a mwy o blant?'

'Beth am Llais y Bobol ma?' medda Now Garn, 'ma nhw i'w gweld yn siarad sens am yr ysgolion.'

'Ydi,' medda Dei Parsal, 'ond ma isio mwy na hynny i redag cyngor. Ma isio gweld be nan nhw am bob dim arall hefyd.'

'Methu dallt dwi, sut ma cymaint oedd yn gryf dros gadw ysgolion bach ers talwm wedi troi yn erbyn hynny rŵan,' medda Now Garn.

'Ac yn waeth, yn cyfiawnhau hynny drwy sôn i bod hi'n costio hyn a hyn y pen i'w cadw nhw'n gorad,' meddwn i. 'Cym bac Magi Thatshyr – ôl us fforgifan ydi hynny goelia i.'

'Be ma rhai sy'n siarad am gost y pen yn anghofio ydi i bod hi'n costio mwy i fyw mewn pentra fel Garn beth bynnag,' medda Now Garn.

'Pam?' medda Wil Chwys, 'be di gwahaniath?'

'Wel ti'n gorfod mynd i Port neu Griciath i gal trin dy ddannadd a gweld doctor ac i lawar peth arall wt ti'n u cal ar stepan dy ddrws yn Port,' meddai Dei Parsal, 'ma rhaid i ti gal car os wyt ti'n byw yn y wlad.'

'Beth am y bysus ta?' medda Wil Chwys.

'Iawn, ma nhw'n reit dda,' medda Now Garn, 'ond ddim yn dwad ar yr union adag wt ti isio nhw, yn enwedig os wt ti isio trin dy ddannadd. Ac os di petha'n rhedag yn hwyr, wel rhaid aros mwy o amsar. Dydi ddim yn hawdd byw yng nghefn gwlad heddiw cofiwch, yn enwedig os os na ddim siop na phost yn y pentref.'

'Na nhw gau, ta?' holodd Wil Chwys.

'Wel mi fydd fama di cau cyn i ti nôl rownd,' medda Dei Parsal.

A chlosio at y bar y bu'n rhaid iddo wneud.

(Ionawr 2008)

Mi odd hi'n reit wag yn y 'Cochyn' nos Iau diwethaf.

'Lle ma pawb?' holodd Now Garn ar ôl eistedd wrth y bwrdd arferol.

'Dos na ddim llawar wedi bod yma dros y Dolig,' medda Wil Chwys, 'ma cwrw'n rhy ddrud.'

'Ydi, os ti'n gweithio,' medda Dei Parsal, 'ond dydi o ddim yn poeni ti a dy debyg, chwaith. Methu dallt dwi sut ti'n cal pres i yfad a titha'n gneud dim ond ista ar dy din drw'r dydd.'

'Ma na lawar yr un fath yn y lle ma,' meddwn i. 'Amball un yn sâl ac yn trio cal help ond yn cal i gwrthod, a rhei fatha ti yn cal pob dim. Dydi o ddim yn iawn.'

'Cer i nôl rownd efo'r pres da ni'n i rhoi iti,' medda Now Garn.

'Oedd na ddim noson yn y Clwb Ffwtbol nithiwr?' holodd Dei Parsal ar ôl i Wil Chwys fynd at y bar.

'Oedd,' medda fi, 'Gwibdaith Hen Frân, odd hi'n noson dda hefyd, er fod na ddim llawar yno.'

'I be sy' isio agor clyb newydd ta?' holodd Wil Chwys. 'Ma Lijyn a Clwb Chwaraeon yn ddigon dydi.'

'Dyna iti Port i'r dim,' medda Now Garn, 'agor clwb newydd yn dal cant a hannar o fewn lled cae i un arall sy'n dal cant a hannar. Yn union fel oedd hi efo capeli gan mlynadd yn ôl. Os na ddim digon o fusnas i redag un clwb yn iawn heb sôn am gal tri.'

'Fel yna oedd y capeli gan mlynadd a mwy yn ôl,' meddai Dei Parsal. 'Ma'n dal yn capal ni a chapal nhw yn Port ma heddiw.'

'Fedrai ddim dallt y lle,' medd Now Garn, 'ma pobol yn mynd i wahanol gapeli i addoli'r un duw ond yn gorfod cadw ar wahân. Does dim gwahaniath rhynddyn nhw hyd y gwela i, run fath a Democrats a Ripyblicans yn Merica a Llafur a Thoris yn Lloegar. A rŵan ma na glwb ni a clwb nhw yma. Uffarn o le gwirion.'

'Ia, ac ma na gymdeithasau gwahanol gan y gwahanol enwadau, heb sôn am Glwb y Garrag Wen,' meddwn i.

'Be os na glwb yfad yn fanno?' holodd Wil Chwys.

'Nace siŵr dduw,' medda Now Garn, 'dim clwb yfad ydio o ond cymdeithas i bobol sy'n ffansio eu hunain fel beirdd a llenorion.'

'Wt ti'n aelod ta?' holodd Wil Chwys.

'Nacdw,' meddai Now Garn, 'na i ddim joinio cymdeithas sydd ddim yn agorad i bawb. Run fath di hi efo'r mêsyns.'

'Pa mor hir neith y clybia ma bara'n gorad os di pybs yn cau?' medda Wil Chwys.

'Ddim yn hir iawn ar y rêt yma' medda Dei Parsal, 'pwy bynnag bia'r rownd, well iddo fo i chodi hi rŵan neu mi fydd y 'Cochyn' di cau hefyd.'

A chodi at y bar y bu raid i mi.

(Tachwedd 2002)

'Ma ffwtbol yn beth mawr yn y dre ma. Ma sôn byth a beunydd am Man iw a Lerpwl ac Everton ond dim ond weithia am Port,' medda Dei Parsal ar noson fawr yn hanas y bêl gron.

'Ia da ni am weld Cymru'n chwarae heno,' medda Now Garn, 'a ma pawb wedi anghofio hynny am ryw awr ne ddwy, beth bynnag. Yr Italians di'r gelyn heno, de.'

'Aru ni guro rheina yn rhyfal,' medda Wil Chwys.

'Ond ddim ond un waith ar cae ffwtbol,' meddwn i.

'Odd yncl Wil Traws wedi bod yn cwffio yn Itali ac odd o'n deud fod yr Italians yn dda i ddim byd ond i dyfu tymatos a gneud eis crîm. Dwi'n edrach mlaen i weld y gêm,' medda Wil Chwys.

'Methu dallt dwi, os wt ti gymaint am ffwtbol, pam na ddoi di i weld Port yn chwarae bob Sadwrn?' holodd Dei Parsal. 'Tasa ni wedi cal crowds mwy, ella sa ni'n dal yn y Lîg of Wêls heddiw, sa'r pres wedi helpu i ni gal gwell chwareuwrs.'

'O'n i'n meddwl fod Macswel Hows yn sbonsro Port radag hynny,' medda Wil Chwys.

'O'n i'n meddwl ma Port odd yn sbonsro Macswel Hows,' meddwn i.

'Wel does ond diolch fod na chydig o'r ffyddloniaid yn dal i redag y Clwb, ne fasa na ddim tîm yma. Ma'i run fath bob tro, rhiw griw bach sy'n cadw petha i fynd,' medda Now Garn.

Roedd y teledu ymlaen erbyn hyn, a'i sŵn yn boddi bob sgwrs, bron.

'Pam fod hyn yn Seusnag?' holodd Dei Parsal, 'mae o yn Gymraeg ar Es Ffor Si.'

'Mae o'n well yn Susnag,' medda Wil Chwys, 'a beth bynnag, weli di'r boi cw wrth y bar. Dydi hwna ddim yn dallt Cymraeg.'

'Ond sbia arna ni, a rheina a rheicw, ma nhw'n siarad Cymraeg,' medda Dei Parsal, 'da ni'n gorfod newid er mwyn un boi. Dydi o ddim yn deud llawar amdana ni.'

'Dwi'n siŵr sa ti mewn tafarn yn Milan neu Turin heno, go brin y basa nhw'n newid iaith y Ti Fi er mwyn un dyn bach,' meddwn i.

'Tewch rŵan,' medda Now Garn, 'i ni gal Hen Wlad fy Nhada.'

Dyma lais meddw Hiwi Lysh yn morio canu o'r bar:

'Y cwrw rhyfeddol, yn caru ein gwlad

Tros ryddid collasant eu gwlad.'

'Cau dy geg Hiwi,' gwaeddais, 'a ti ddim yn gwbod y geiria beth bynnag.'

Boddwyd fy llais gan un don o 'Gwlad, gwlad' yn atsain drwy'r dafarn.

Erbyn yr ail hannar, odd petha'n edrach yn dda, a phawb yn canu'r gân honno sydd ar y Bi Bi Sî rownd bedlan:

'La, la, la la, la la lalala . . .'

'Esu canu da,' medda Wil Chwys.

'Sa ti ddim callach sa na gant o fustuch yn nadu mewn cae,' medda Now Garn.

'Iesu, cym on, goooooooool.'

Aeth y floedd drwy'r dafarn ac i lawr y stryd. Os odd rhywun yn Port y noson honno ddim yn edrach ar y gêm mi oeddan nhw'n siŵr o wbod y sgôr a bod ni di ennill.

Mi fuo ni'n dathlu y noson honno. Ac erbyn rhyw un y bora, odd llond bys am fynd i Aserbeijan.

'Lle uffarn ma fano?' holodd Now Garn.

'Sgin i ddim syniad,' medda Dei Parsal.

'Am uffarn o bosman wt ti,' medda Wil Chwys, 'sut ma pobol fano yn mynd i gal llythyra?'

'Mae o braidd yn bell i fynd efo bys,' meddwn i, 'os na nawn ni gochwyn heno.'

'Wel cochwyn am adra dwi, beth bynnag, achos dwi isio danfon llythyra o gwmpas y lle 'ma,' medda Dei Parsal.

A mynd naeth o, a fina efo fo gan adael y dathlu.

Rhan 6

Awdur a Golygydd

Dau gyhoeddiad a olygwyd gan Arthur

'Mae gen i syniad am lyfr i ti . . .'

MYRDDIN AP DAFYDD

Mi ddwedodd Arthur hynny un ar ddeg o weithiau wrthyf i. Mae'r un llyfr ar ddeg ar fy silffoedd i bellach. Nid melin yn troi'n wag oedd o. Os oedd o'n dweud, roedd o'n gwneud.

Helpu ei dad – yr enwog Richie Thomas – i sgwennu'i hunangofiant wnaeth Arthur yn gyntaf. Canwr annwyl a phoblogaidd drwy Gymru, ond dyn Penmachno i'r carn.

> Petawn yn troi'r cloc yn ôl drwy'r pedwar ugain o flynyddoedd y bûm ar y ddaear yma, yna caech ddarlun pur wahanol o fywyd ym mhentref Penmachno. Dyma gyfnod euraidd y pentref, gyda'r chwareli a'r ffatri wlân yn gweithio ar eu gorau, a phob tŷ yn llawn, weithiau'n orlawn, o deuluoedd ifainc. Pentref gyda chyfoeth o gorau meibion, corau cymysg, band a chymdeithasau capeli.

Richie sy'n siarad, ond mae blas y cyw yn y cawl hefyd. Dyma Richie'n cofio ei dad yntau'n perfformio gyda band pres Penmachno.

> Adroddodd fy nhad stori am yr hen fand yn canu ar y lawnt yn Rheithordy Cerrigydrudion adeg y diwygiad. Wedi canu am dipyn, cafwyd seibiant, a daeth morwyn o gwmpas aelodau'r band yn cario hambwrdd yn llawn o beintiau cwrw. Gwrthod y cwrw wnaeth pawb, ond aeth y demtasiwn yn drech nag un aelod oedd hefyd eisiau cadw'r addewid dirwestol. Dywedodd wrth y forwyn:
> 'Tywallt o i lawr fy ngwar i.'

Drwy'i dad, roedd cof Arthur yn mynd yn ôl i'r hen

gymdeithas uniaith Gymraeg a'u straeon. Roedd Parti Penmachno yn teithio ac yn dod adref gyda'u chwedlau. Roeddan nhw wedi cael gwelyau cul iawn i gysgu ynddyn nhw mewn un llety. Dyma Ifan Plas, un o gymeriadau mwyaf gwreiddiol y parti, yn codi o'r gwely ym mherfedd y nos:

'Lle dach chi'n mynd Ifan?' gofynnodd llais o wely cul arall.
'Unlle. Codi i droi wnes i.'

Ar ochr mam Richie, roedd Arthur yn perthyn i'r Esgob William Morgan – ac roedd llawer o'r teulu'n cario'r Morgan yn eu henwau fel yntau. Un ohonyn nhw oedd William Morgan Jones, Wil Mog – brawd i nain Arthur. Bardd gwlad oedd Wil Mog a chyhoeddodd ei waith mewn rhyw bedair o gyfrolau. Mi gyhoeddodd Arthur gasgliad o'r cerddi a'r straeon hefyd.

Yn ôl pob sôn (meddai Richie), roedd yn gwmnïwr difyr iawn dros beint o gwrw ac mae llawer un yn cofio sgwrsio ag ef a dod oddi yno'n llawer cyfoethocach o'r profiad. Pan fyddai cyfrol ganddo i'w gwerthu, deuai â swp ohonynt gydag ef i'r dafarn, ac yno y byddai drwy'r nos yn adrodd penillion am hwn a'r llall ac am ddigwyddiadau a throeon trwstan, gan oedi weithiau i gael cymorth at ei syched. Ar ddiwedd y noson, deuai'r cyfrolau i'r golwg ac fe'u gwerthai am chwecheiniog yr un i'w gwsmeriaid parod. Ond, fel arfer, siomedig iawn oeddent o ddarllen y cynnwys ar ôl mynd adref a chanfod nad oedd y penillion a adroddai ef yn y dafarn yn y llyfr! Dim ond y rhai mwyaf parchus a gyhoeddai.

Mae gen i gof bach amdano'n gorwedd ar y soffa ym

Mryn Llewelyn, a Mam yn dod â fi ato i'w weld gan ddweud:

'Dyma iti be' ydi dyn wedi cael diod.'

Roedd Wil Mog newydd gael codwm oddi ar ei feic wrth ddod o'r Machno ac yn cael tendans gan Mam.

Un o hoff hobïau Arthur oedd casglu straeon celwydd golau. Mi glywodd gan ffermwr o Gapel Curig fod ganddo fuwch oedd yn diodda gan fod y gaeaf mor galed. 'Mae hi mor dena,' meddai hwnnw. 'Rwyt ti'n medru'i gweld hi'n newid ei meddwl.'

Mi gasglodd Arthur ddwy gyfrol o'r straeon yma, twr o waith sy'n gyfraniad gwych i'n llên gwerin ni. Ond ei ddileit mawr oedd canfod bod y traddodiad yn un byw. Byth a hefyd mi ddôi ar draws un arall oedd yn medru'i 'deud hi'. Crad Bach oedd un o'i ffefrynnau – Caradog Hughes, Ty'n Berth, Penmachno.

Roedd Crad – medda fo – wedi bod ar y llongau hwyliau. Un tro, roeddan nhw wedi'u dal mewn storm ddychrynllyd a dyma'r capten yn gofyn i Crad ddringo'r mast a llifio'r hanner uchaf i ffwrdd i ddymchwel yr hwyliau a sadio'r llong. Dyma Crad yn dechrau dringo, lli 'Bushman' ar ei ysgwydd. 'Erbyn i mi gyrraedd hanner y mast,' meddai Crad, 'roedd y gwynt mor gry nes ei fod o wedi chwythu pob dant i ffwrdd oddi ar y lli.'

Yn ei gyflwyniad i'r gyfrol gyntaf o straeon celwydd golau, mi gawn ni'r peth agosaf at bregeth gan y casglwr. Mae'n werth gwrando arni heddiw hefyd.

Yr ydym wedi mynd yn bobl bwysig dros ben, yn rhy bwysig i werthfawrogi straeon sydd â thipyn o lastig yn eu penolau nhw. Dyna yw'r argraff a gefais yn ystod y blynyddoedd diwethaf. Mae'r hen fyd 'ma wedi mynd yn rhy faterol o lawer; aeth hunanoldeb yn rhemp ac yn glwy cymdeithasol. Pobl yn siarad mewn ieithoedd dieithr jargonaidd, a'u Cymraeg artiffisial wedi ei gloywi gyda Dettol yn lle defnyddioldeb a difyrrwch.

Aeth culni crefyddol y ganrif ddiwethaf yn gulni

cymdeithasol ddiwedd y ganrif hon. Cerdd Dant a chynghanedd yn cael eu llusgo dan brotest i gefn Volvo a'r Babell Lên grand yn lle i 'gael eich gweld' o'i chymharu â'r hen gwt ieir annwyl a fu. Un o'r peryglon mawr yn y newid hwn yw creu adwaith ymysg y Cymry Cymraeg cyffredin, gan beri iddynt feddwl nad yw eu Cymraeg yn ddigon da ac nad ydynt yn ddigon derbyniol fel Cymry. Gocheled pawb rhag defnyddio'r Gymraeg fel ffon fesur snobyddiaeth – fe fyddai hynny'n angau i'r iaith fel iaith bob dydd.

Roedd y weithred o drosglwyddo yn allweddol yn ffordd Arthur o ddehongli diwylliant a thraddodiad. Moto-beics oedd byd R. J. Edwards – Robin Jac o Lanuwchllyn. Roedd yn frenin yn ei faes ac yn arwr gwerin ac yn haeddu cyfrol o straeon i gofio amdano. Ond yn ychwanegol at y gyfrol, aeth ati i gynorthwyo i sefydlu clwb beics er cof am Robin, a chynnal cyfarfodydd a ralïau i ddathlu'r cof amdano.

Saer ar longau oedd Harri Bach o Gricieth, cipar afonydd Eifionydd (a photsiar llwyddiannus cyn hynny) oedd Edgar Owen a saer gwlad a bardd oedd Huw Sêl o Ysbyty Ifan.

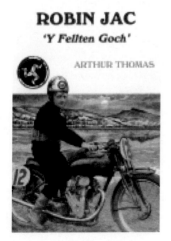

Golygodd Arthur gyfrolau gwerthfawrogol i gyflwyno straeon a champau'r tri.

Ei gyfrol mwyaf trwchus yw'r hunangofiant a olygodd i Eric Jones y dringwr. Gŵr yr unigeddau ydi Eric, a tydi sbloet a sylw ddim yn cydweddu i'r tawelwch annwyl sy'n rhan o'i gymeriad. Pleser oedd y creigiau geirwon iddo, nid llwybr at gyrraedd y penawdau. Er hynny, cyflawnodd gampau a'i gwnaeth yn enw bydenwog yn y byd hwnnw. Llwyddodd Arthur yn ei ffordd gartrefol i'w gael i ddatgelu'i wreiddiau a'i brofiadau yn hamddenol a manwl gan greu'r llyfr gorau erioed ar fynydda yn y Gymraeg.

Cyfrol bersonol iawn iddo oedd cyfrol goffa Ieu Rhos. Dyma gyfaill agos i Arthur, un o'r un genhedlaeth ag ef a ddilynodd batrwm tebyg iddo 'gyda'i gariad at werin ei ardal a'i gasineb at unrhyw barchusrwydd a rhagrith', fel y disgrifiodd Ioan Roberts y cymeriad o Rhos.

Cyfrol olaf Arthur yw'r un a gymerodd y talp hwyaf o'i fywyd i'w chwblhau – casgliad o straeon am gymeriadau'r clybiau rygbi Cymraeg yn y gogledd-orllewin ydi honno. O ganol y saithdegau ymlaen, daeth bywyd newydd i hen drefi Gwynedd. Daeth hogiau tai cyngor a hogiau cefn gwlad i rannu'r un cytiau sinc a'r un caeau anwastad i ddechrau arni ac i rannu'r un byrddau cyn oriau agor mewn tafarn leol wedi hynny. Ymhen amser daeth rygbi plant a rygbi merched hefyd i'r clybiau hyn. A'r elfen bwysicaf i Arthur oedd bod hyn i gyd yn cael ei gynnal yn naturiol a di-lol drwy'r Gymraeg.

Mae'i gyfrol *ABC, y Bysiau a'r Haka Cymraeg!* – Straeon Rygbi Clybiau Gogledd-Orllewin Cymru yn cynnwys straeon ar y maes a straeon mwy cymdeithasol. Roedd Arthur yn arddel dipyn o gynildeb wrth adrodd ambell hanesyn.

Mewn clwb nad wyf am ei enwi, cofiaf glywed yr alwad 'tad Bethan' cyn leinowt – ac yna dyma bawb yn y pac hwnnw yn neidio. Ar ôl y gêm cafwyd yr eglurhad am yr hyn a welsom. Roedd geneth leol wedi cael babi o'r enw Bethan ac wedi rhoi'r bai ar nifer go lew o hogia'r clwb rygbi am fod yn dad!

Dull Arthur o gasglu'r straeon hyn oedd mynd â thâp recordio efo fo, ei sodro ar fwrdd yn y clwb rygbi lleol a hel rhyw hanner dwsin o ddeudwrs go dda ato. Dyna hi wedyn – noson o hel atgofion. Roedd Milgi o glwb Pwllheli yn cofio mai safon ail ddosbarth oedd y bys roedd y clwb yn ei logi ar gyfer danfon yr ail dîm i'r gemau oddi cartref.

Oeddan ni'n mynd am Gaernarfon un Sadwrn ac yn mynd i fyny allt. Dyma fi i'r ffrynt at y dreifar a deud:
'Mae 'na rywun y tu ôl i ti isio pasio.'
'Pwy sy 'na?' meddai'r gyrrwr.
'Malwan,' medda fi.

* * *

Llyfrau i'w darllen a'u mwynhau a'u trafod o fewn y gymdeithas ydi llyfrau Arthur. Cyhoeddi llyfr i ddenu darllenwyr yr oedd o, nid er mwyn gweld ei enw ar y clawr. Llyfrau â blas bro arnyn nhw ydi nifer ohonyn nhw. Yr un nod â'r llyfrau yma oedd yn ei feddwl o fel un o sefydlwyr papur bro *Yr Odyn*. Roedd yna bobl yn yr ardal nad oeddan nhw wedi cydio mewn papur na llyfr Cymraeg ers dyddiau ysgol. Y papurau bro ydi Ysgolion Griffith Jones ein dyddiau ni. Maen nhw wedi creu cenedl o bobl gyffredin sy'n llythrennog yn y Gymraeg eto - roedd peryg gwirioneddol inni golli hynny.

Fel y gwelodd ambell un arall, mae brogarwch yn arwain at wladgarwch. Ac mae gwladgarwch go iawn yn arwain at frawdgarwch at ddiwylliannau tramor. Yn ei gyfrolau ac yn ei ysgrifau yn *Llafar Gwlad*, mae'n adrodd ei hanes o ac Olwen - ac Elen ar adegau – yn teithio Ewrop ac yn cyfarfod pobl wych a diddorol. Mi fasa Arthur yn medru tynnu sgwrs efo pobl go iawn yn unrhyw le, doedd dim gwahaniaeth pa iaith roeddan nhw'n ei siarad na ble roeddan nhw'n byw.

Arthur yn lansio ei gyfrol i gofio am Ieu Rhos ar stondin siop Cwlwm o Groesoswallt yn Nhafarn y Saith Seren, Wrecsam yng ngwmni Goronwy Fellows.

Detholiad o rai o erthyglau Arthur Thomas yn *Y Cymro*

1. *Cymru a'r Gymraeg*

Collwyd dau o fawrion ein cenedl
6 Mawrth 2015

A hithau'n ddiwedd y mis bach, testun arferol sgwrs yr adeg hon yw'r tywydd, yn enwedig gan mai duwch yr wybren a dyfodiad yr eira fyddai'n ddigwyddiad arferol. Ond nid felly y tro hwn. Duwch arall a ddaeth dros Gymru.

O fewn ychydig ddyddiau, collwyd dau o fawrion ein cenedl ac yna, o fewn dim, collwyd dau arall fu a'u cyfraniadau mor amrywiol. Mae llawer o deyrngedau ardderchog wedi eu talu eisoes i'r cewri a gollwyd, felly'r cwbl a wnaf yw ychwanegu profiadau personol o'm cysylltiad â'r ddau a aeth gyntaf.

Pan glywais am farwolaeth John Davies aeth fy meddwl yn ôl yn syth i Abertawe ac i'r blynyddoedd a dreuliais yn y Coleg yno. Gan mai pynciau gwyddonol yr oeddwn yn eu hastudio, doedd dim cysylltiad gennyf gyda'r adran Hanes, ond wrth wrando ar John, fy nghyfaill o Ddinas Mawddwy yn sôn am John Bwlchllan, teimlwn ei fod yn dipyn o gymeriad. Ni fu'n rhaid aros yn hir iawn cyn ei gyfarfod, a hynny mewn tŷ tafarn.

Dros y blynyddoedd y bûm yn Abertawe, deuthum i ryfeddu at ei ddawn dweud a'i ddull o gyfarch y gwahanol fyfyrwyr. Credaf i'r Athro Hanes ar y pryd ei gynghori i beidio gor-gymdeithasu gyda'r myfyrwyr gan nad oedd hynny yn cyd-fynd

â delwedd darlithydd o'i adran.

Chymrodd John fawr o sylw o hynny – a dweud y gwir byddai'n gwahodd criw ohonom i gael peint hwyr ym mar y staff yn y coleg. Yn ystod un o'r sesiynau hynny y dysgais ganddo'r gân 'Galargan Dŵr Tryweryn' ac er nad oedd yn ganwr o fri, yr oedd ei afael ar y grefft a'i gof anhygoel yn ddigon i'm galluogi i ddysgu'r gân ganddo.

Wedi gadael Abertawe, deuwn ar ei draws mewn steddfod a digwyddiadau eraill. Cofiaf i rai ohonom a fu'n fyfyrwyr yn Abertawe dreulio prynhawn yn ei gwmni mewn bar yn stablau gwesty'r 'Bull' yn ystod eisteddfod Llangefni ar ddechrau'r wythdegau. Yr oedd newydd ddychwelyd wedi cyfnod yn yr Eidal ac wedi lliwio ei wallt braidd yn od. Eto fyth, roedd hynny'n gweddu'n iawn iddo a chafwyd prynhawn difyr dros ben yn ei gwmni. Cefais gyfle i gael ambell sgwrs ag ef ar ôl hynny ond welais i fawr ohono yn ddiweddar.

Âi'r cysylltiad teuluol gyda Merêd yn ôl flynyddoedd gan ei fod yn ffrindiau gyda 'nhad. Pan fyddwn yn ei gyfarfod mewn steddfod, rali neu gwrs gwerin, âi'r sgwrs yn ôl i'r hen ddyddiau. Cofiaf ei holi un tro os oedd honiad fy nhad yn wir – i Merêd chwarae pêl-droed i dîm Cwm Penmachno. Cadarnhaodd hynny drwy sôn fel y byddai llawer o fechgyn Stiniog yn dod 'dros y mynydd' i chwarae i'r Cwm. Hynny, mae'n debyg am fod nifer o'r dynion yn cyd-weithio yn y chwareli. (Ar ôl y Rhyfel, unwyd timau'r Cwm a Phenmachno i ffurfio Machno Unedig.)

Byddwn yn cael modd i fyw wrth wrando ar Merêd yn egluro cefndir ambell gân werin. Ambell dro, cawn sgwrs gydag ef am gân oedd braidd yn anweddus ond gwyddai gefndir pob cân – a hynny ar ei gof heb orfod troi at unrhyw nodiadau. Gan fod Crad Bach o Benmachno yn un a gofiai lawer o ganeuon gwerin lleol, rhai ohonynt na chlywais gan neb arall, es ati i'w dapio yn canu rhai ohonynt. Gyrrais gopi o'r tâp i Merêd. Ymhen rhai wythnosau, digwyddais daro ar ei draws yn rhywle. Ymddiheurodd i mi am beidio ag ateb mewn llythyr, ond teimlai y byddai'n well ganddo drafod y caneuon wyneb yn wyneb gyda mi. Gwyddai am y caneuon oedd ar y tâp, bob un ohonynt. Ei sylw am y canwr oedd bod 'ei donyddiaeth yn ansicr – yn union fel petai wedi cael diod!' Es ati i egluro fy mod wedi gorfod rhoi dipyn o wisgi i Crad cyn y byddai'n fodlon canu i'r meic. Mae'n siŵr fod y tâp hwnnw yn saff yng nghasgliad enfawr y gŵr rhyfeddol hwn. A dyna fesur o'i fawredd – roedd pob un, o'r pwysigyn mwyaf i'r mwyaf cyffredin, yn cael sylw llwyr Merêd, yn enwedig os byddai ganddo gyfraniad pwysig i sgwrs.

Estynnaf fy nghydymdeimlad i deuluoedd y ddau ac i deulu John Rowlands. Doeddwn i ddim yn ei adnabod yn bersonol ond gwyddwn am ei nofelau ac am ei ddawn fel beirniad llenyddol. Un o Drawsfynydd oedd o, ac ychydig ddyddiau yn ddiweddarach, bu farw un arall o'r un pentref. Roedd cyfraniad John Iscoed Williams yn fawr iawn i'w ardal a hynny'n bennaf ym maes llywodraeth leol. Y tro diwethaf i mi siarad ag ef oedd yn seremoni dadorchuddio'r Gofeb yn Fflandrys. Yn ystod y seremoni, fo gafodd yr anrhydedd o ddarllen 'Rhyfel' – un o gerddi enwocaf Hedd Wyn.

Do, bu i'r mis bach orffen â'i wybren yn ddu iawn.

Rhannu atgofion am ddechrau'r *Odyn*
27 Tachwedd 2015

Ar y nos Sadwrn cyntaf ym mis Tachwedd, cefais y fraint o gael bod yn un o'r gwahoddedigion mewn noson i ddathlu pen-blwydd papur bro *Yr Odyn* yn ddeugain oed. Yn ystod noson hwyliog, manteisiais ar y cyfle i gyfarfod â chyfeillion a fu'n ymwneud â'r papur ers y cyfnod cynharaf a chael rhannu atgofion am y dyddiau hynny.

Bu i ffenomenon y papurau bro ymddangos fel un o ganlyniadau'r deffroad cenedlaethol yn ystod y saithdegau. Ar yr un pryd, sefydlwyd clybiau rygbi oedd yn Gymraeg eu hiaith ac sydd wedi parhau felly hyd heddiw. Cymrwch fy hen glwb, Nant Conwy fel enghraifft. Petaech ond yn edrych ar yr adran ieuenctid erbyn heddiw, lle mae hyd at dri chant o blant a phobl ifanc yn derbyn hyfforddiant – a hynny drwy gyfrwng y Gymraeg. Mae'n nifer sylweddol o ieuenctid yn yr ardal wledig hon a gwn fod nifer o glybiau eraill yn gwneud yr un peth. Yn aml iawn ar y cychwyn, byddai nifer o'r un bobl yn ymwneud â'r clwb rygbi newydd, lleol, a'r papur bro lleol – a hynny'n adlewyrchiad o fwrlwm Cymraeg y cyfnod.

Nid *Yr Odyn* oedd y cyntaf o'r papurau bro i gael ei sefydlu a bodolaeth rhai eraill mewn gwahanol rannau o Gymru a fu'n ysbrydoliaeth i'r criw a ymgasglodd yng nghaffi Tan Lan, Betws-y-coed i drafod y posibilrwydd o sefydlu papur i ardal Nant Conwy – sef y rhan uchaf o Ddyffryn Conwy hyd at gyrion tref Llanrwst. Dwi ddim yn siŵr iawn (na neb arall yn y dathliad, chwaith) p'run a'i dau gyfarfod ynteu tri a fu ond yn y cyfarfod olaf trafodwyd enw i'r papur ym mysg materion ymarferol eraill.

Gan fod ambell papur bro yn '*Llais*' rhywle ne'i gilydd, tueddai ambell un i ffafrio enwau yn cynnwys '*Llais*'. Soniais yn y dathlu fel i mi fod yn trafod enw papur unwaith cyn hynny. Pan oeddwn yn fyfyriwr yn Abertawe, penderfynwyd sefydlu papur Cymraeg i'r myfyrwyr. Trafodwyd enwau posibl ac yna daeth cynnig anhygoel (gan un sydd yn amlwg yn y maes eisteddfodol – ac nad wyf am achosi embaras iddo drwy ei enwi), sef 'CRAP'. Wel, doedd y sawl a gynigodd yr enw heb yr un profiad yn iaith frasach y gweddill ohonom ac aethom i gyd i chwerthin. Yn llawn embaras, am na ddeallai ystyr y gair a gynigiodd, eglurodd gan mai ym Mharc Singleton y safai'r coleg, felly y byddai PARC wedi ei sillafu ar yn ôl yn CRAP! Wedi mwy o chwerthin, bu'n rhaid egluro arwyddocâd yr enw ac y byddai'n beryg iawn o adlewyrchu'r cynnwys! Da yw cael dweud mai rheswm a orfu.

Ond yn ôl at *Yr Odyn*. Yng nghanol y trafod, dyma Huw Selwyn Owen, y saer coed a'r saer geiriau o Ysbyty Ifan yn cynnig yr enw. Cofiaf yn iawn ei ddull ffwrdd â hi o'i gynnig, gan roi'r argraff mai syniad ar y pryd oedd hwn ond fe wyddech, o adnabod Huw Sel, nad oedd hynny'n wir. Eglurodd fel y byddai i bob ardal ei hodyn i grasu ceirch neu odyn galch a'r enw yn cyfleu'r syniad fod y newyddion yn crasu yn y papur. Felly, *Yr Odyn* oedd yr enw i fod.

Yn yr argraffiad cyntaf hwnnw, yr oedd wyth tudalen yn gwerthu am saith geiniog. Ie, saith geiniog, cofiwch, ond doedd dim angen poeni am ymateb yr ardal i'r papur newydd gan y gwerthwyd y pum can copi a argraffwyd. Erbyn yr ail rifyn, codwyd y nifer i saith gant a hanner ac erbyn heddiw, mae'r papur swmpus yn gwerthu tua ddeuddeg can copi am hanner can ceiniog.

O'r dechrau, bron, penderfynwyd fod yn rhaid cael ysgafnder a hwyl, ac fe ddaeth cartwnau Anne Morris o Benmachno yn rhan o'r hwyl, gan gofnodi cymeriadau a throeon trwstan ynddynt a'i dawn yn golygu y gallai pawb adnabod y sawl a bortreadwyd. Y cam nesaf oedd cynnwys penillion tynnu coes a chofnodi digwyddiadau doniol ac fe ddaeth yr ymadrodd 'watsia dy hun neu mi fyddi di yn *Yr Odyn*' yn ymadrodd cyffredin yn yr ardal.

Dros y blynyddoedd, mae'r papur wedi cadw'i boblogrwydd am fod yr elfen ysgafn wedi plethu gyda gweddill ei gynnwys. Hir y parhaed y papur ac y caf fwynhau noson debyg pan fydd yn hanner cant, gan obeithio, wrth gwrs y bydd y ddau ohonom ar dir y byw!

Colli ffigwr arall gwerthfawr iawn
5 Chwefror 2016

Y tro olaf i mi ei weld oedd yn angladd Nerys, gwraig fy nghefnder, merch annwyl a phoblogaidd a fu'n athrawes gampus ac yn gefnogwraig frwd i ddawnsio gwerin yn Nyffryn Conwy. Wrth gofio amdani a thrafod pethau eraill, wyddwn i ddim y byddai yntau wedi marw o fewn yr wythnos, a hynny'n frawychus o sydyn.

Ffôn gan gyfaill un bore rai dyddiau wedi'r angladd a dorrodd y newydd trist fod Wali wedi marw.

Roeddwn yn adnabod Wali Cefn Rhydd, neu Wali Capel Garmon ers y pumdegau. Yr oedd yn hŷn na fi ond deuthum i'w adnabod gyntaf ym mhartïon Nadolig enwog (wel ym mhen uchaf Dyffryn Conwy, beth bynnag) yr anhygoel Maggie Pengwern, a ddaeth yn adnabyddus drwy Gymru wrth ganu penillion gyda'i brawd yn y ddeuawd Ifan a Maggie yn y pedwardegau a'r pumdegau.

Yr oedd yn cadw gwesty Pengwern ar yr A5 rhwng Betws-y-coed a throfa Penmachno.

Byddai 'Anti Mag' yn cynnal parti Nadolig yn ei chartref i beth myrdd o blant y fro, yn blant, ffrindiau a chydnabod. Yno y cofiaf weld Wali am y tro cyntaf.

Yn ddiweddarach, tua diwedd y pumdegau, aeth i'r môr ac fe gofiaf iddo greu cymaint o argraff arnaf wrth sôn am yr anturiaethau a gafodd gyda'r 'Blue Funnel Line' (a chai ei hadnabod fel y 'Llynges Gymreig' gan fod cymaint o Gymry yn gweithio i'r cwmni), fel y bu imi, ar ddiwedd fy mlwyddyn gyntaf yn y chweched dosbarth, feddwl am wneud yr un peth ag ef (er na chofiaf os oedd yn dal ar y môr ar y pryd). Mam a'm perswadiodd i beidio gan ei bod wedi gwylltio wrth glywed am y ffasiwn syniad, felly es i fyd llawer llai rhamantus fel athro yn lle hynny!

Byddai'r hanesion am Wali yn ystod y chwedegau'n niferus ac roedd yn gyfaill da i'w gael mewn cornel, yn enwedig wrth wynebu bygythiadau 'hogiau'r dref' yn Llanrwst.

Yna ar ddechrau'r saithdegau, yr oeddwn yn gweld llawer mwy ohono pan ddaeth yn aelod gweithredol o Gymdeithas yr Iaith.

Wedi i'r mudiad hwnnw fodoli am rai blynyddoedd fel mudiad o fyfyrwyr ac academyddion yn bennaf, yn sydyn ehangodd ei orwelion a daeth mwy o'r 'werin', hynny yw'r gweithwyr cyffredin yn aelodau.

Roedd Wali yn un amlwg, a bechgyn fel Dewi Garmon, Sion Tan Lan, a nifer o rai eraill yn rhoi sylfaen gadarnach i'r mudiad yng nghefn gwlad Cymru.

Treuliodd Wali gyfnod mewn carchar wedi iddo ddringo mast teledu fel rhan o ymgyrch y Gymdeithas dros Sianel Gymraeg ond fel llawer un arall a fu'n gweithredu yn ystod y cyfnod hwnnw, fe'i siomwyd yn arw gan yr hyn a ddigwyddodd i'r Sianel honno erbyn heddiw.

Dangosai barch mawr i'r Gwyddelod ac fe dreuliodd lawer o flynyddoedd yn gweithio gyda hwy ac yn gweithio yn eu gwlad.

Lawer gwaith y dywedai pa mor falch o'u gwlad a'u harwyr oedd y Gwyddel ond tristau a wnâi wrth feddwl nad oedd y Cymro'n meddu ar ddigon o asgwrn cefn i sefyll dros ei wlad yn yr un modd.

Mae fy nghydymdeimlad yn llwyr gyda'i weddw, Meri – un arall a oedd yn aelod gweithgar o'r Gymdeithas yn ystod yr un cyfnod – a gweddill y teulu, ac ymddiheuraf o waelod calon am na allwn fod yn bresennol yn yr angladd.

Clywyd llawer o sôn am golli ffigyrau amlwg yn ystod y flwyddyn a aeth heibio ond, i mi, dyma golli un gwerthfawr arall.

Nid un a fu'n ffigwr amlwg yn genedlaethol, ond un o'r rhai prin hynny a oedd yn genedlaetholwr digyfaddawd wrth reddf ac yn un a wfftiai at y Cymry 'tywydd braf' a'r cenedlaetholwyr honedig a werthodd eu heinioes i'r diafol Prydeinig. Cwsg yn dawel yr hen fêt.

Angen rhoi hwb i'r traddodiad gwerin
8 Ebrill 2016

Mae gen i ddiddordeb mewn cerddoriaeth ers yn ddim o beth. Efallai nad yw hynny'n syndod o gofio i mi gael fy magu ar aelwyd gerddorol. Ond mae gen i ofn fy mod yn colli diddordeb mewn ambell fath o gerddoriaeth – hynny yw, y math o gerddoriaeth sy'n dod yn fwy a mwy poblogaidd yma yng Nghymru.

Dim ond edrych ar ddiwedd cystadleuaeth Cân i Gymru a wnes. Rhaid dweud ar y dechrau fel hyn na fu i mi glywed y caneuon i gyd, dim ond yr un fuddugol, felly efallai i mi golli cân a fyddai at fy nant. Ond am yr un fuddugol, dim diolch.

Yr oedd y cantorion yn rhyw udo canu gan wneud swn ar adegau a ymdebygai i'r hyn a glywais gan lond cwt o loi.

Dwi'n gwybod fod amryw am ddweud fy mod yn rhy hen i werthfawrogi canu cyfoes neu'n gwybod dim am y math hwn o ganu. Digon teg, ond rhaid cofio fy mod yn meddu ar glust gerddorol a bod swn aflafar yn merwino'r glust honno.

Na, yr udo ar ddiwedd cymal neu frawddeg yw'r broblem, gan ddifetha yr hyn a all, fel arall, fod yn harmoni digon derbyniol. Ac mae gen i ofn fod yr udo hwn wedi mynd yn rhywbeth cyffredin yn y canu diweddar.

Mae hyn yn fy arwain at fater arall sy'n dipyn o boen i mi, sef y gor-bwyslais cynyddol ar y math o ganu a geir mewn sioeau cerdd. Ceir perfformiadau a chystadlaethau ar y math hwn o ganu hyd syrffed ar ein cyfryngau ac yn ein heisteddfodau, nes disodli, bron, y traddodiad clasurol a'r traddodiad gwerin sydd wedi eu gwreiddio yn ein diwylliant. Ofnaf fod y cyfryngau yn dal i edrych ar y traddodiad gwerin fel rhyw 'fiwsig Mici Mows' tra bo grwpiau ifanc, byrlymus fel

Calan a 9bach ac unigolion fel Gwenan Gibbard yn agor drysau ein traddodiad gwerin i gynulleidfa ryngwladol yn ystod eu teithiau tramor.

Cofiaf glywed y diweddar Ronnie Drew o'r Dubliners yn dweud sut y byddai poblogaeth drefol, 'soffistigedig' Dulyn yn edrych yn ddirmygus ar gerddoriaeth werin Iwerddon hyd nes y dechreuodd grwpiau fel y Dubliners ei boblogeiddio. Diolch ar yr un pryd i ymdrechion Sean O'Riada a ddaeth â'r traddodiad hwn i amlygrwydd yn y byd darlledu.

Rhaid cofio fod gennym ninnau le i ddiolch am y gwaith a wnaed gan y diweddar Meredydd Evans i boblogeiddio canu ysgafn a chanu pop Cymraeg ac wedyn y canu gwerin. Ond ar ôl iddo ein gadael, pwy sydd ar ôl yn y byd darlledu i barhau â'r gwaith hwn?

Ymddengys fod y math o weledigaeth a oedd ganddo bellach wedi ei chyfyngu i raglenni prin megis y 'Sesiwn Fach', a'r agwedd eto yn amlwg yw os ydych eisiau rhywbeth fel hyn, fe'i cadwn oddi ar y rhaglenni dyddiol a rhoi lle amlwg ar y rhai hynny i ganeuon poblogaidd yn y Gymraeg neu yn Saesneg.

Ond bellach, mae 'Sesiwn Fach' wedi dod i ben a beth sydd yn ei le? Rhyw gyfiawnhad gwan a glywais oedd bod awr olaf rhaglen Georgia Ruth wedi ei neilltuo i ganu gwerin. Oni fyddai'n gwneud synnwyr felly i rannu'r rhaglen yn ddwy a galw'r ail un yn 'Sesiwn Fach'? Neu a yw hynny'n rhy gymhleth i'r rhai sy'n trefnu rhaglenni?

Fe ddywed rhai mai'r rheswm fod cymaint yn anelu at ganu caneuon o'r Sioeau Cerdd yw nad ydynt yn ddigon da i lwyddo yn y byd clasurol. Dwn i ddim ai gwir ai peidio'r gosodiad hwnnw, ond rhaid cofio fod llawer o gantorion ifanc yn llwyddo yn y byd clasurol tra bydd y rhai sy'n anelu at y byd sioeau cerdd yn cyrraedd pen draw'r daith gerddorol honno yn fuan iawn ac yn gorfod troi at yrfa arall er mwyn ennill eu bara menyn.

Byddai'n well codi proffil y canu gwerin traddodiadol a thrwy hynny greu ymwybyddiaeth ryngwladol a fyddai'n golygu fod mwy o alw am gantorion a cherddorion gwerin a fydd, yn y pen draw, yn gallu dilyn gyrfa yn y maes.

Mae'r ymroddiad yno o du grwpiau ac unigolion – ond a oes digon o bobl yn y cyfryngau sydd â 'chydig o ymwybyddiaeth Gymreig i roi hwb i'r traddodiad gwerin er mwyn ei boblogeiddio?

2. Cymru a'r Byd

Pwysigrwydd parch iaith y brodorion
18 Rhagfyr 2015

Dyma fi wedi dychwelyd ar ôl treulio wythnos yn ninas Bratislava a chael blasu ei marchnad Nadolig a'i thraddodiadau gwerin cryf iawn. Cyn i chi feddwl 'o na, dydi hwn ddim yn mynd i sôn am ei wyliau unwaith eto', yr hyn wyf am ei wneud yw ceisio rhoi cymorth i unrhyw un sydd yn bwriadu teithio ar wyliau i wlad dramor drwy gyflwyno dull syml er mwyn dysgu ychydig o eiriau yn iaith y wlad yr ydym yn ymweld â hi.

Un o'r pethau casaf gennyf wrth deithio dramor yw gweld Saeson a Chymry sydd ddim yn fodlon gwneud unrhyw ymdrech i ddysgu gair neu ddau o iaith y wlad. Sawl gwaith yn y gorffennol y clywais nifer o'm cyd-Gymry yn ceisio cael y trigolion lleol i siarad Saesneg er na wyddent yr un gair o'r iaith honno a hynny'n hollol amlwg, fel sy'n digwydd yn aml mewn llefydd y tu allan i'r ardaloedd traddodiadol twristaidd?

Yr ydym yn barod i feirniadu Saeson sy'n dod i Gymru ar wyliau ac yn dod yma i fyw am beidio ceisio dysgu'r un gair Cymraeg ond onid yw hi'n gywilyddus clywed Cymry Cymraeg yn ymddwyn yn yr un modd mewn gwledydd tramor?

Mae'r canolfannau gwyliau ar y 'Costas' yn Sbaen a Chatalunia wedi eu hanelu ar gyfer twristiaid sy'n siarad Saesneg ond am rannau eraill, nid yw'r un sefyllfa'n bodoli. Dwi'n gwybod am bobl sydd wedi bod ar eu gwyliau ac yn cwyno eu bod wedi 'cael eu gwneud' a bod y trigolion lleol yn ddigon anserchus.

Rai blynyddoedd yn ôl, yr oeddwn i a'r wraig mewn tŷ bwyta yn yr Eidal yng nghwmni eraill pan fynnodd un o'r lleill dorri ar draws y wraig (sydd wedi mynd i'r drafferth o ddysgu ychydig frawddegau Eidaleg) gan ddweud wrth y weinyddes dro ar ôl tro yn Saesneg ei fod eisiau sglodion a hefyd sos coch. Yr oedd hi'n hollol amlwg na ddeallai'r ferch yr un gair o Saesneg a gallwn weld ei bod yn colli amynedd gyda'r sefyllfa. O ganlyniad i'r ymddygiad yma, digon anserchus oedd y croeso o hynny ymlaen a phan ddaeth y bil ar y diwedd, fe ddaeth hi'n amlwg fod yr ymddygiad wedi ychwanegu dipyn at gost y noson.

Efallai eich bod yn holi sut i fynd ati i ddysgu ychydig eiriau o iaith. Wel, ar y we, yn enwedig ar 'Youtube', mae gwersi pob iaith dan haul ar gael.

Gyda chlustiau sydd wedi arfer gydag ynganiad ffonetig y Gymraeg, buan iawn y gellir dysgu ychydig eiriau o iaith estron. Dyma amlinelliad o gynllun syml y bûm yn ei ddefnyddio ers tro byd, bellach, un sydd wedi profi'n llwyddiant yn fy achos i, beth bynnag!

Yn gyntaf, rhaid dewis geiriau sy'n rhai cyffredin mewn sgwrs, megis 'dydd da', 'diolch', 'os gwelwch yn dda' ac yn y blaen. Wedyn 'ia' a 'nage', rhifau o un i ddeg a geiriau defnyddiol megis 'cwrw', 'gwin' 'tŷ bach' a sut i ofyn am y bil mewn tŷ bwyta. Yna, eu sgwennu yn union fel yr ydych yn eu clywed gan y sawl sydd yn eu hynganu ar y we.

Mi gymrwn ni'r iaith Saesneg fel enghraifft, fel petai honno'n hollol ddieithr i chi.

GWD MORNING – bore da; THENCIW – diolch; IES a NO, WAN, TW, THRI, FFOR, BIYR – cwrw, ac yn y blaen. Deall y syniad? Mae'n hawdd iawn.

Cyn mynd i Bratislava, mi wnes hyn yn ôl yr arfer, felly:
DOBRI DEN – dydd da; JACWIEN – diolch; PROSIM – croeso; PIFO – cwrw; FINO – gwin ac yn y blaen. Fe ŵyr rhai ohonoch, efallai, yn enwedig y rhai sy'n 'pori yn yr un maes' â mi, fod y gair PIVO am gwrw yn gyffredin yn nwyrain Ewrop, yn ieithoedd gwledydd megis Gwlad Pŵyl a Rwsia. Ac, wrth gwrs, mae iaith Slofacia yn debyg iawn i'r iaith Tsiec gan i'r ddwy wlad

fod yn un tan yn gymharol ddiweddar.

Chymrodd hi fawr o amser i lunio geirfa fer gyda chymorth yr ynganiadau ar 'Youtube'. Drwy wneud hyn ymlaen llaw, (a gellir ychwanegu mwy at y rhestr pan ydych yno) gallwch ddweud ambell air y bydd y trigolion lleol yn eu deall.

A thrwy wneud hynny, cewch wên yn ymateb sy'n dangos gwerthfawrogiad o'r ffaith eich bod yn parchu iaith trigolion y wlad yr ydych yn ymweld â hi.

Symbol o filitariaeth Brydeinig
25 Tachwedd 2016

Pan oeddwn yn blentyn yn ystod y pumdegau, byddwn yn mynychu'r gwasanaeth coffa wrth y gofeb ym mhentref Penmachno ar Sul y Cofio.

Ym mysg y gynulleidfa niferus a ymgasglai yno fyddai amryw o gyn-filwyr o'r Rhyfel Mawr. Gyda hwy byddai nifer a fu yn yr Ail Ryfel Byd, oedd yn ystod y cyfnod hwnnw'n dal yn gymharol ifanc, dim ond yn eu tridegau a'u pedwardegau.

Cofiwch, yr oedd eraill, fel fy ewyrth, a gafodd brofiadau mor ofnadwy yn y ffosydd fel na allent wynebu'r Sul hwnnw ac felly'n aros gartref.

Gwisgai bawb y pabi coch syml (un heb ddeilen), a hynny am ryw wythnos cyn y Sul hwnnw. Gwyddem ni fel plant mai arwyddocâd y pabi hwnnw oedd cofio'r rhai a fu farw yn y Rhyfel Mawr, ac wedyn yn yr Ail Ryfel Byd.

Dim ond pan oeddwn wedi teithio i Ffrainc a Gwlad Belg y gwelais pam y daeth y blodyn hwn yn symbol y colledig rai. Roedd yn tyfu ym mhob man o gwmpas maes y gad yn y rhan honno o Ewrop.

Erbyn heddiw, yr wyf wedi hen roi'r gorau i wisgo'r pabi coch. Y rheswm am hynny yw nad symbol tawel o barch i'r meirw ydyw bellach ond un a ddefnyddir gan lawer fel arwydd o filitariaeth Brydeinig.

Fe welir pobl yn ceisio dylanwadu'n annheg ar eraill i'w

wisgo ac mae pawb sy'n ymddangos ar y cyfryngau – Saesneg a Chymraeg – i'w gweld fel petaent yn gorfod gwisgo'r pabi coch.

Clywais hanes ambell unigolyn a wrthodai ei wisgo yn cael amser caled oherwydd hynny.

Bu i un chwaraewr yn Uwch Adran Pêl-droed Lloegr gael ei feirniadu am wrthod gwisgo crys ei glwb gyda'r pabi coch arno ond ei reswm am wrthod oedd mai Gwyddel o ddinas Derry ydoedd, a'r pabi coch iddo ef yn cynrychioli'r milwyr a laddodd bobl ddiniwed yn ystod y gyflafan yn y ddinas honno a elwir yn 'Bloody Sunday'.

Datblygiad arall cymharol ddiweddar yw'r ddeilen fechan y tu ôl i'r pabi. Yn ôl yr hyn a glywais, dylid gwisgo'r pabi gyda'r ddeilen yn pwyntio at unarddeg – sef yr unfed awr o'r unfed diwrnod o'r unfed mis – dydd cadoediad y Rhyfel Mawr.

Os mai gwir yw hynny, yna mae llawer iawn o'r rhai sy'n mynnu gwisgo'r pabi yn ei amharchu gan fod y ddeilen yn aml iawn yn pwyntio i gyfeiriad arall. Mae'n rhyfedd na fyddai'r awdurdodau wedi datgan barn am hynny!

Rheswm arall dros wrthod ei wisgo yw'r ffaith mai dim ond y milwyr Prydeinig a'r trefedigaethau a fu farw mewn rhyfeloedd a gynrychiolir gan y pabi coch.

Clywsom hyd syrffed am yr holl helynt a wnaed am na chai pêl-droedwyr wisgo'r pabi ar eu crysau wrth gynrychioli eu gwledydd – a hynny'n dilyn gorchymyn gan FIFA, y corff sy'n rheoli pêl-droed drwy'r byd.

Ond does fawr o neb wedi sôn am yr hyn a ddigwyddodd cyn gêm rygbi Cymru yn erbyn yr Ariannin.

Os cofiwch, cafwyd seremoni o osod torchau gan y ddau dîm, yna munud o dawelwch a chaniad y corn.

Onid oedd hyn yn sarhad i'r chwaraewyr a gynrychiolai'r Ariannin?

Does ond ychydig dros ddeng mlynedd ar hugain ers Rhyfel y Malfinas (y Falklands i'r Prydeinwyr) ac mae'n bur debyg fod gan nifer o chwaraewyr yr Ariannin berthnasau neu gyfeillion teuluol a fu farw yn y gyflafan honno.

Ond, na, dim ond coffau'r milwyr Prydeinig a wnaed.

Cywilydd o'r mwyaf oedd dangos y fath ansensitifrwydd a does ond gobeithio na ddigwydd eto. Go brin, hefyd, o gofio fod Undeb Rygbi Cymru yn mynd allan o'i ffordd i ddangos mai teyrngarwyr ufudd i goron Lloegr a Phrydeindod ydynt.

Wrth gloi, mae'n bwysig cofio pawb a fu farw mewn rhyfeloedd, ac nid rhai o un ochr yn unig. Hyd nes y cydnabyddir hynny, erys y 'cofio' a'r Pabi Coch yn ddim byd amgenach na symbol Prydeindod.

Gwledd o fiwsig, lliw a brwdfrydedd
2 Mehefin 2017

Ar Fai 17, 1814 arwyddwyd Cyfansoddiad Norwy wedi i'r wlad ddod yn rhydd oddi wrth reolaeth Denmarc. Eto, byddai'r undeb rhwng Norwy a Sweden yn bodoli hyd nes i Norwy ennill annibyniaeth ym 1905. Ond y dyddiad pwysig yn dal i fod yw Mai 17 ac ar y dydd hwn bob blwyddyn, dethlir Diwrnod Cenedlaethol Norwy.

Dethlir y diwrnod drwy Norwy gyfan a thrwy'r byd ym mha le bynnag y ceir Norwyaid. Uchafbwynt y dathlu yw'r orymdaith drwy'r dref neu'r ddinas ac mae'r Norwyaid yn dweud os oes dau neu fwy o Norwyaid yn rhywle ar y diwrnod hwn, yna gellir cynnal gorymdaith.

Er i mi a'r wraig fod yn Norwy tua'r un adeg y llynedd, yr oeddem yn gadael rhyw ddau ddiwrnod cyn y dathlu, ond y tro hwn y bwriad oedd cael bod yn bresennol ar strydoedd Oslo i weld yr orymdaith.

Mae'r diwrnod yn cychwyn yn fore iawn, wrth i'r ysgolion baratoi ar gyfer cymryd rhan. Maent yn gorymdeithio'n lleol cyn mynd ar fws i ganol Oslo erbyn cychwyn y brif orymdaith am ddeg o'r gloch y bore.

Pan ddywedaf fod dros gant ac ugain o ysgolion o bob rhan o Oslo yn cymryd rhan, mae rhywun yn dechrau sylweddoli pa mor fawr yw'r achlysur. Yr oedd y Norwyaid yng ngherddorfa'r Opera wedi dweud wrth Elen, y ferch, am beidio mynd i Karl

Johan Gate, sef prif stryd y ddinas gan y byddai'r stryd honno yn orlawn o dwristiaid wrth iddynt lenwi ochrau'r stryd yr holl ffordd at y palas brenhinol.

Yno mae'r orymdaith yn gorffen gan basio o dan y balconi lle saif y brenin a'i deulu i gyd-ddathlu'r diwrnod. Mae'n debyg fod hyd at gan mil o bobl yn mwynhau'r orymdaith drwy strydoedd Oslo.

Yr oeddem wedi canfod safle da iawn yn un o'r strydoedd sy'n agos at fan cychwyn yr orymdaith. Dyma glywed y band ar y blaen yn dod i lawr y stryd. Hwn yw band gwarchodlu'r brenin, ond er ei enw, gwirfoddolwyr sy'n chwarae ynddo, gan gynnwys un sy'n aelod o gerddorfa'r Opera.

A dyna fawredd yr orymdaith i mi – does dim byd militaraidd, dim milwyr yn ei lifrau, dim gynnau nag awyrgylch milwrol. Yn hytrach, plant a phobl ifanc sy'n gorymdeithio, llawer iawn ohonynt yn eu gwisgoedd cenedlaethol ac yn chwifio baner Norwy. Cerddant fesul ysgol neu fesul ardal, gyda bandiau ysgol ac ardal yn eu mysg yn chwarae offerynnau neu'n curo drymiau er mwyn cadw'r orymdaith i fynd.

Hwyrach y gwnewch chi werthfawrogi maint yr orymdaith pan ddywedaf iddi gymryd dwy awr a chwarter i fynd heibio i'r man y safem arno. Gwledd o fiwsig, lliw a brwdfrydedd, gyda'r plant a'r bobl ifanc yn adlewyrchiad o obaith y genedl fach hon.

Erbyn diwedd yr orymdaith, mae hi'n amser cinio a'r dathlu yn mynd rhagddo ym mhob man. Ceir partïon o bob math mewn tai a fflatiau a chryn ddiota'n digwydd yn ôl pob sôn – ac yn ôl y sŵn!

A dweud y gwir, roeddwn wedi sylwi fod ambell barti wedi dechrau'n fore achos ar falconi fflat gyfagos i'n un ni, yr oedd nifer o ferched yn eu gwisgoedd cenedlaethol wrthi'n yfed gwin – a hynny am naw o'r gloch y bore!

Ymddengys fod y Norwyaid yn dathlu'r dydd hwn mewn steil, gyda'r partïon yn parhau drwy'r dydd. Er hynny, yr oedd pethau wedi tawelu'n weddol erbyn diwedd y nos. Mae'n siŵr fod ambell 'benmaenmawr' yn y gwaith y bore canlynol, hynny yw os oeddynt yn cyrraedd y gwaith.

Yr oeddwn yn falch i mi gael y profiad bythgofiadwy hwn. Ond go brin yr af i wylio'r orymdaith eto. Fel yn achos y mwyafrif o drigolion Oslo, unwaith i chi ei weld, dyna fo.

Heblaw am rieni a pherthnasau'r plant sy'n gorymdeithio (a'r twristiaid wrth gwrs), ac ar y teledu y bydd y gweddill yn gwylio, a hynny fel cefndir i'r parti sydd yn digwydd yn y tŷ.

Ond os ydych yn digwydd ymweld â Norwy ar y dydd hwn, yna rhaid i chi gael gweld yr orymdaith leol a mwynhau'r profiad.

3. Byd Chwaraeon

Rali fotobeics olaf i goffau Robin Jac
24 Ebrill 2015

Ym 1997, pan gynhaliwyd yr Eisteddfod Genedlaethol yn y Bala, penderfynodd criw ohonom y dylid cynnal rali motobeics i gofio am y reidar o Lanuwchllyn. R.J. Edwards neu Robin Jac a thrwy hynny, godi arian tuag at yr Eisteddfod. Cynhaliwyd Rali Robin Jac ar Ŵyl y Banc Calan Mai. Daeth criw go lew o tua hanner cant o feicwyr i Lanuwchllyn a llwyddwyd i godi swm teilwng o arian tuag at yr achos.

Yn dilyn llwyddiant y rali gyntaf honno, penderfynwyd cynnal y rali yn flynyddol i gofio am Robin Jac. Byddai'r beicwyr yn rhoddi £5 am y fraint ac o 1998 ymlaen, yn derbyn plac llechen i gofio'r achlysur. Ai'r arian a gasglwyd i reidars unigol i'w noddi ar gyfer rasio yn Ynys Manaw, rhywbeth oedd yn agos at galon Robin Jac. Defnyddiwyd, fel llwybr y rali, y 'cwrs' a ddefnyddiai Robin ei hun i ymarfer ar gyfer Ynys Manaw. Ai'r cwrs o gwmpas rhannau go lew o'r hen Sir Feirionnydd gan geisio cyfateb yn fras i gwrs y TT. Lle ceid y mynydd ym Manaw fe wnâi'r Migneint y tro ond cyn mynd i'r ynys, ai Robin i Fwlch yr Oerddrws rhwng Dolgellau a Dinas Mawddwy. Yno, yr oedd y ffordd i fyny'r Bwlch yn cyfateb i'r ffordd sy'n codi o Ramsey i fyny'r mynydd. Yno y gosodai Robin y cwrbwredydd i gyfateb i'r ffordd i fyny'r mynydd ym Manaw ac o ganlyniad, cai fantais ar y beics eraill. Ai Robin o gwmpas ei gwrs ymarfer yn gynnar yn y bore er mwyn osgoi'r heddlu a thrafnidiaeth arall. Lawer tro y bu i

Rali Robin Jac wedi cyrraedd Dolgellau

drigolion Trawsfynydd ei ddiawlio wrth i ruad y motobeic rasio eu deffro'n blygeiniol. Hynny yn y cyfnod cyn bod ffordd osgoi i'r pentref hwnnw.

Ac eithrio 2001, pan na chynhaliwyd y rali oherwydd Clwy'r Traed a'r Genau, bu'n ddigwyddiad blynyddol, er bod tywydd gwael ambell flwyddyn yn gyfrifol am weld llai o feics yn cymryd rhan. Yn y flwyddyn 2011, cafwyd newid i'r drefn arferol drwy gynnal Gŵyl Robin Jac yn adeiladau Cywain yn y Bala, gŵyl a gychwynnodd ar y nos Wener ag a aeth ymlaen tan ddydd Sul. Y tro hwnnw, daeth dros gant o feics ar y rali ac, yn ogystal, daeth nifer eraill o reidars a'u hen feics i'w harddangos yn yr ŵyl. I lawer, uchafbwynt yr ŵyl honno oedd cael gweld y CTS, beic a rasiai Robin ym Manaw wedi dod yno o'r Amgueddfa yng Nghanolbarth Lloegr i'w arddangos dros y penwythnos. Yn anffodus, oherwydd trafferthion Cywain, ni fu'n bosib ail-gynnal yr ŵyl honno wedyn.

Deil y nifer o feics yn weddol gyson rhwng deugain a hanner cant bob blwyddyn. Ond fe ddaeth tro ar fyd. Yn dilyn cynnydd yn y nifer o ddamweiniau motobeics ar y ffyrdd, tynhawyd y rheolau yn arw ac, yn fuan, ni fydd hi'n bosibl cynnal rali fel hon heb fynd i gostau mawr. Ar hyn o bryd, eglurir i bob beiciwr mai'r beiciwr ei hun sy'n gyfrifol am unrhyw beth a ddigwydd ond cyn pen dim, syrthia'r cyfrifoldeb hwnnw ar ysgwyddau'r trefnwyr. Felly, dyma benderfynu dod â'r digwyddiad i ben.

Ond wedi dweud mai rali i goffau Robin Jac oedd hon, ni fydd yn cael ei anghofio. Daeth newyddion da i law fod y cais am arian i addasu'r hen eglwys yn Llanuwchllyn yn ganolfan treftadaeth i'r ardal ac fel un o enwogion yr ardal honno, bwriedir cael arddangosfa a fydd yn rhoi lle amlwg i Robin Jac. Felly, penderfynwyd cael plac coffa i'w osod yn y fan honno ac arno'r canlynol:

R.J. EDWARDS (*Robin Jac*)
1910-1979
Rasiwr motobeics, englynwr a chenedlaetholwr
'Y Fellten Goch'

Dadorchuddir y plac ar fore Sadwrn, Mai 2 am tua 11.30 yn y Neuadd, Llanuwchllyn ac fe'i trosglwyddir i ofal y Ganolfan Dreftadaeth i'w osod yn y fan honno. Wedyn, bydd y beics yn mynd ar y rali am y tro olaf.

Mae croeso cynnes i bawb i fynychu'r cyfarfod byr yn y neuadd neu'r rali ar gefn motobeic!

Cynhesrwydd tuag atom yn hollol amlwg
8 Gorffennaf 2016

Do mi es, yng nghwmni'r wraig, i Ffrainc fel miloedd eraill o'm cyd-Gymry ond yn bennaf er mwyn blasu awyrgylch cystadleuaeth Ewro 2016. Wnes i ddim gweld yr un gêm yn fyw – dim ond blasu'r awyrgylch yn rhai o'r llefydd a oedd yn cynnal y gemau.

Fel un sydd wedi teithio yng ngogledd ddwyrain Ffrainc nifer o weithiau yn ystod y blynyddoedd diwethaf, roedd ymateb y trigolion lleol yn wych, a dweud y lleiaf. Bob tro o'r blaen, roedd yn rhaid mynd ati i geisio egluro fod Pays de Galles yn wlad a chenedl wahanol i Angleterre, yn aml iawn heb lwyddo i'w hargyhoeddi gan nad oedd trigolion y rhan hon o

Ffrainc yn gyfarwydd â rygbi. A byddai agwedd y trigolion lleol yn hollol annifyr gyda rhywun, gan gynnwys torri o'ch blaen wrth yrru ar y ffordd.

Ond y tro hwn, yr oedd y gwahaniaeth yn drawiadol a'r cynhesrwydd tuag atom yn hollol amlwg, er i ganlyniad siomedig yr uffarendwm fod yn gwmwl dros yr wythnos olaf, gyda'r Ffrancwyr (a'r Belgiaid hefyd) yn ein holi am y canlyniad a pham y digwyddodd hynny. Ninnau'n mynd ati i egluro fod dylni'r bobl a dderbyniodd yr holl gelwyddau heb ystyried y canlyniadau wedi arwain at y canlyniad.

Y dref gyntaf yr aethom iddi er mwyn blasu awyrgylch gêm oedd Lens. Roedd cryn bryder ynglŷn â hynny am fod cefnogwyr y Saeson wedi arddangos eu diwylliant ymosodol am nosweithiau ym Marseille. Mewn tafarn yng nghanol y dref, cawsom gwmni llawer o gefnogwyr Cymru, nifer ohonynt yn bobl ifanc a fu mewn ysgolion Cymraeg yn ardal Abertawe. Er fod pob un ohonynt yn gallu siarad Cymraeg gyda ni, tristwch y sefyllfa oedd mai Saesneg a siaradent gyda'i gilydd. Pan holais y rheswm am hynny, doedd ganddynt ddim eglurhad a dyna dristwch y sefyllfa sy'n golygu nad yw'r mwyafrif yn siarad Cymraeg ar ôl gadael ysgolion cyfrwng Cymraeg. Mae datrys y broblem honno yn boen pen go iawn ac yn allweddol i barhad yr iaith fel iaith lafar.

Cafwyd dipyn o hwyl gyda chefnogwyr Cymru ond yn fuan iawn, newidiodd y sefyllfa pan ddaeth criw o gefnogwyr Lloegr i mewn. Er na chafwyd ymladdfa, yr oedd eu hagwedd o'r cychwyn yn ymosodol ac yn llawn casineb. Gyda'u bloeddiadau'n llawn rhegfeydd, anelwyd eu dig at 'that stupid language' ac wedyn siantio hollol warthus fel 'Aberfan, ha ha ha!' Sut fath o bobl sy'n gallu ymddwyn fel hyn? Ai dyma'r math o bobl y mae'r Cymro taeog yn moesymgrymu iddynt yn ddyddiol? Aethant ymlaen i lafarganu pethau fel '%ˆ& the IRA' a 'We beat the IRA'. Gwnes y pwynt mai Cymru oedd y gwrthwynebwyr ac nid Iwerddon, ond doedd hynny'n gwneud yr un mymryn o wahaniaeth.

Does dim angen ymhelaethu ar y gêm honno. Pan sgoriodd Lloegr, ymateb y 'cefnogwyr' pybyr hyn oedd taflu cwrw – nid i'r awyr, ond ar ben pawb arall, yn Gymry ac yn staff y bar! Petai rheolwr y bar wedi galw'r heddlu i mewn, byddai'r rheiny, yn eu helmedau a gyda'u pastynau wedi waldio pawb oedd yno!

Yn yr Ewros, haf 2016

Yna aethom am Normandi i weld rhai o'r safleoedd hanesyddol, gan gynnwys Tapestri Bayeux sy'n dangos y Saeson yn colli brwydr. Ond bu'n rhaid cwtogi'r ymweliad er mwyn 'Rhedeg i Baris' a threulio amser yng nghwmni cefnogwyr Gogledd Iwerddon ac, yn ddiweddarach, wedi'r fuddugoliaeth yn y fan honno, symud i wlad Belg er mwyn cael gwylio'r gêm rhwng Gwlad Belg a Chymru yng nghwmni Marc a Mario, dau a fu'n weithgar gyda phrosiect cofeb y Cymry yn Langemark ac sydd hefyd yn dal i gadw'r atgof am Hedd Wyn yn fyw yn yr ardal. Roedd y croeso yn gynnes iawn ym mysg trigolion Fflandrys ar noson y gêm a'u hymateb yn urddasol a chanmoliaethus wedi iddynt golli. Rhaid cydnabod fod cefnogwyr Gogledd Iwerddon, hefyd, yn iawn yn eu siomedigaeth. Dim ond y Saeson oedd yn ymddwyn yn anwaraidd, a thra y byddent yn ymddwyn felly, fydd yna ddim parch iddynt.

Cewch fwy am gefnogwyr Gogledd Iwerddon eto.

Dwy ffrind o bentref bach yn chwarae i Gymru
20 Ionawr 2017

Ar ôl y prawf cyntaf rhwng Awstralia a'r Llewod yn 2013 ymddangosodd llythyr yn un o bapurau newyddion Lloegr. Albanwr a ysgrifennodd y llythyr a byrdwn ei neges oedd cwyn am mai dim ond dau Albanwr a gafodd eu cynnwys yn y garfan ar gyfer y prawf hwnnw.

Yr wythnos wedyn, cafwyd ateb i'r llythyr gan Gymro o orllewin Cymru. Yr hyn a ddywedodd oedd na ddeallai pam y cwynai'r Albanwr am hyn gan nad oedd ond dau o bentref Bancyfelin yn y tîm! Cyfeiriai at Mike Phillips a Jonathan Davies, y ddau'n dod o'r pentref bychan hwnnw'r ochr arall i Gaerfyrddin.

Daeth yr hanes hwn i gof pan welais fod dwy o ferched Padog wedi chwarae i dîm merched Cymru – dwy o'r pentref bach hwnnw ym mhen uchaf Dyffryn Conwy yn yr un tîm.

Gyda balchder y cyhoeddwyd ar dudalen blaen 'Yr Odyn' – papur bro Nant Conwy, yr ardal y mae Padog yn rhan ohoni: 'Dwy o Badog yn chwarae i'r Tîm Rygbi Cenedlaethol'.

Enw'r ddwy yw Dyddgu Hywel a Gwenllian Pyrs, neu Dyddgu Tai Duon a Gwen Tŷ Mawr i'r trigolion lleol a soniaf fwy amdanynt eto.

Ond lle yn union mae Padog? Wel, pan ydych yn teithio ar hyd yr A5 o Fetws y Coed am Bentrefoelas fe ddowch at droadau drwg gyda phont yn eu canol. Dros y blynyddoedd, cafwyd llawer o ddamweiniau yma ac, yn anffodus, oherwydd hynny y daeth llawer o bobl i wybod am y lle hwn.

Newydd i chi fynd dros y bont, dyma le y saif pentref Padog, er prin y gellir galw capel a rhyw ddau dŷ yn bentref, eithr rhan o ardal yw Padog sydd ar flaen Cwm Eidda, cwm o nifer o ffermydd ac yn ardal hollol Gymraeg ei hiaith.

Mae'r pentref ei hun mor fychan nes y ceir yr arwydd mynd i mewn a dod allan ar yr un polyn, bron! Ei faint a olygai y gallai'r diweddar D.O. Jones, o fferm Tŷ Uchaf yn y cwm lunio englyn i 'Lamp Drydan Padog' sef un lamp stryd y lle:

'Yn llusern fodern safadwy – hi saif
   Yn ei swydd fel meudwy;
   Goleua 'ngham wrth dramwy
   I le mawl y golau mwy.'

Go brin y gellid cael englyn fel hwn i unrhyw le arall sydd â dwy (neu ddau) o'r trigolion wedi chwarae dros eu gwlad a hynny yn yr un tîm!

Hyd at ddiwedd y saithdegau, doedd rygbi ddim yn bodoli, i bob pwrpas, yn yr ardal hon. Yna, ym 1980, sefydlwyd Clwb Rygbi Nant Conwy ac mae'r gweddill, ys dywedant, yn hanes.

Dau a fu'n chwarae i'r clwb ar y cychwyn oedd Hywel Tai Duon ac Eryl P., dau o'r fro hon, ac wedyn, fel y datblygodd pethau, daeth Dyddgu merch Hywel a Gwenllian, merch Eryl P. i chwarae'r gêm ac erbyn hyn, i gyrraedd y brig.

Enillodd rygbi ei blwyf fel un o brif gemau ysgolion y dyffryn ac mae llawer yn dal ati i chwarae i Nant Conwy ar ôl gadael yr ysgol.

Mae Padog, ac Ysbyty Ifan gerllaw yn un o'r cadarnleoedd Cymraeg sy'n weddill yn y Gymru hon a'r Gymraeg mor naturiol ar y cae rygbi ag yw yn y cartref ac yn yr ysgol.

Enillodd Dyddgu sawl cap yn barod ac wrth ei gwaith, mae'n ddarlithydd i'r Coleg Cymraeg yng Nghaerdydd.

Ar y llaw arall, ennill ei chap cyntaf a wnaeth Gwenllian, sydd yn dal yn ddisgybl yn Ysgol Dyffryn Conwy.

Ei diddordeb mawr arall yw rhedeg cŵn mewn treialon cŵn defaid ac wedi cynrychioli Cymru yn y gyfres deledu 'One man and his dog', (er i'r gyfres honno fod ar ei hôl hi yn newid ei theitl!).

Does dim llawer yn gallu dweud iddynt chwarae dros eu gwlad gyda chyfoedion o'r un ysgol gynradd fechan wledig a hwy, ac yn byw o fewn tafliad carreg i'w gilydd.

Go dda yn wir a does ond gobeithio y byddant yn chwarae dros eu gwlad am flynyddoedd i ddod.

A tybed a oes mwy ar y ffordd o'r un ardal?

Detholiad o rai o gofnodion Arthur Thomas

Adolygiad
Adolygodd Arthur ddegau o gyfrolau yn y cylchgrawn – ond hwn efallai oedd ei adolygiad mwyaf celwyddog!

ABC, Y BYSIAU A'R HAKA CYMRAEG
- Arthur Thomas (Gwasg Carreg Gwalch £8)
Dyma'r llyfr salaf i mi ei ddarllen ers blynyddoedd. Straeon rygbi yn llawn rhegfeydd a chwrw, dwyn ac ymladd – ach a fi ! Pwy fyddai'n meddwl am eiliad honni fod y gêm hon yn haeddu'r ffasiwn sylw yng ngogledd orllewin Cymru pan mae pawb yn gwybod mai hel merched yw prif ddiddordebau Sadyrnol yr ardal ac mai cyd-ddigwyddiad yw fod cwrw ac ymladd yn digwydd hefyd. Ond beth am brif gêm yr ardal – y

bêl gron – heb ymladd, rhegi na chwarae budur yn dod yn agos at y llanciau glân a moesol sy'n rhedeg ar ein caeau pêl-droed bob Sadwrn. Byddai llyfr fel hwn yn ddifrifol o fain wrth adrodd straeon am bêl-droed – oni fyddai chwaraewyr yn selogion y capeli, gyda llawer ohonynt yn flaenoriaid a gweinidogion! Na, rhaid ymwrthod â'r demtasiwn i ddarllen y ffasiwn beth – rhag i safonau moesol yr ardal blymio i'r gwaelodion.

Ffraethineb hen gymeriadau'r ardal

Arthur yn hel atgofion am gymeriadau Nant Conwy . . .

Cawn gychwyn yn Ysbyty Ifan, pentref Sylfanus (neu Syl) Ellis, adeiladydd ac ymgymerwr a chymeriad mawr iawn ym mhob ystyr. Roedd yn arweinydd nosweithiau llawen a gyrfaeodd chwist. Un tro, mewn gyrfa chwist fawr cyn y Nadolig ym Mhenmachno gofynnodd a oedd yno rhywun na allai ddeall Cymraeg. Cododd un ddynes ei llaw.

'How long have you lived here?' holodd Syl.

'Six months,' oedd yr ateb.

'Long enough,' meddai Syl a chario ymlaen yn Gymraeg.

Cofiaf i Huw Selwyn Owen, y saer coed a'r bardd o'r un pentref adrodd hanes taith i Lundain ar ddiwedd y pumdegau. Roedd treialon cŵn defaid rhyngwladol yn cael eu cynnal yn Hyde Park a llond bws o ben uchaf Dyffryn Conwy wedi mynd yno. Er nad oedd gan Syl fymryn o ddiddordeb mewn cŵn defaid, aeth ar y trip.

Ar ôl rhyw gwta hanner awr, dyma Syl yn mynd am beint. Cyn pen dim, roedd yn ôl, a holodd Huw Sêl yn lle oedd o wedi bod.

'Uffarn o byb drud,' medda Syl, 'rhyw Dorchester neu rwbath oedd ei enw fo!'

Am ei fod yn gymaint o gymeriad, ymddangosai cartwnau ohono yn *Yr Odyn* yn aml. Anne Lloyd (Morris) Cooper oedd y cartwnydd a gallai bortreadu Syl i'r dim. Roedd codwm ar y bont yn gyfle rhy dda i Huw Sêl a hithau ei golli!

Down i lawr yr A5 rhyw filltir neu ddwy i ardal Padog a Chwm Eidda. Wedi cneifio, un tro roedd ffermwr yn rhoi'r llythyren V mewn pitsh ar bob dafad. Dyma un o'r defaid yn dianc i'r A5 ac aeth y ffermwr i chwilio amdani. Stopiodd gar a gofyn:

Dŵr yn yr afon a'r bont fawr yn slip...

Am smonath gan ddwylath o ddyn! — i lawr
Aeth fel lwmp ar lenyn,
A'r wlad yn clywed wedyn
Di-ail iaith y Diawl ei hun.

N.S.O.

'Ydech chi 'di gweld dafad a 'V' ar ei chefn hi!'
Roedd wynebau'r ddau yn y car yn werth eu gweld!

Troi oddi ar yr A5 i Benmachno, pentref llawn cymeriadau, lle cefais fy ngeni a'm magu. Cofiaf hen ŵr o'r enw Roli Cefn a geisiodd un tro, adeg helynt Suez, roi tipyn o addysg i ni blant.

'Dyna i chi'r Ijypt 'na. Rhyw le 'fath a Cwm Eidda ydi o!'

Cyhoeddais gasgliad o straeon Crad Bach yn y gyfrol *Straeon Celwydd Golau*. Roedd yn gymeriad heb ei ail ac yn bioden o gasglwr, a'i gartref yn llawn o bethau. Roedd wedi cael bocsiad o lemons plastig Jiffy gweigion o rywle. Aeth ati un gaeaf i'w gludo ar ganghennau coeden afalau ger ei dŷ gan ddenu ymwelwyr ac roedd ceir yn stopio a chamerau yn clicio drwy'r gaeaf.

Cymeriad arall oedd Dei Gwyndy, un â'r ddawn i ddynwared llawer o'r trigolion lleol fel y gallech daeru mai nhw oedd yn siarad. Ac un sydyn ei ateb. Mewn gêm bêl-droed ar gae Ty'n Ddôl, a'r tim lleol yn chwarae yn erbyn Llanfairfechan, roedd Dei yn cega ar lumanwr yr ymwelwyr. Cafodd hwnnw lond bol a dyma fo'n troi at Dei a dweud:

'Dwi di bod ar y lein ers chwarter canrif.'

Daeth ateb Dei Gwyndy yn syth:

'Mae'n rhaid bod hi'n hir yn sychu.'

Roedd dau gyfaill yn gweithio gyda'i gilydd yn un o chwareli Cwm Penmachno, un yn flaenor ac yn ŵr duwiol iawn ond bocsio ai â bryd y llall. Cyn y ffeit enwog rhwng Tommy Farr a Joe Louis, dyma oedd testun ei sgwrs byth a hefyd. Cafodd llall ddigon a dyma fo'n gofyn,

'Duda i mi Rhys, wyt ti'n 'nabod y Tommy Farr 'ma?'
A'r ateb,

'Yndw'n duw, cystal ag wyt ti'n nabod Paul a Pedr.'
Roedd y chwarel yn lle am lysenwau. Cafodd Wil Gwd Morning ei enw oherwydd iddo fod yn Lerpwl am bythefnos a dod yn 'dipyn o Sais' – yn ei dyb ef. Roedd yn cerdded o chwarel Rhiwfachno gyda'i ffrind ar ddiwedd y prynhawn pan ddaethant i gyfarfod gwraig leol:

'Gwd morning', medda Wil.

'Gwranda,' medda'i ffrind, 'mae hi'n b'nawn rŵan.'

'Chdi ta fi sydd wedi bod yn Lerpwl?' oedd yr ateb.

I lawr yr A5 eto a throi am Ddyffryn Lledr. Yng nghysgod Pont Gethin, y bont drawiadol sy'n cario'r rheilffordd dros y ceunant y saif y Glyn, cartref Twm Glyn. Un o dri brawd Tan-y-castell, Dolwyddelan, tri chymeriad difyr a hoffus.

Cofiaf Twm yn edrych ar y papur dyddiol un bore Llun, 'Ma'r *Daily Post* 'ma'n sâl heddiw – dim ond tri wedi marw!'

Ym Metws-y-coed y trigai Don Postman, andros o gymeriad a thynnwr coes o'r radd flaenaf. Ambell dro, gyda'r tymor ymwelwyr yn ei anterth, byddai'n galw i mewn i dafarn y Waterloo wedi gwisgo siwt a choler gron. Ai ati wedyn i 'fendithio' y cwsmeriaid gan rwdlan rhyw ffug weddi dros y lle. Gwelid y trigolion lleol yn troi eu hwynebau tua'r pared rhag ofn y gwelai'r ymwelwyr hwy'n chwerthin.

Roedd ei hiwmor a'i ddywediadau'n chwedlonol. Cofiaf fod fy nhad wedi gyrru am docynnau ar gyfer cystadleuaeth bandiau pres yn Belle Vue, Maenceinion. Wrth i'r dyddiad ddod yn nes, byddai'n holi Don os oedd ganddo lythyr o Faenceinion. Ateb anfarwol Don oedd,

'Gwranda Richie, ma' Paul wedi gyrru llythyr o Effesus ers dwy fil o flynyddoedd a dydi o'n dal heb gyrraedd Penmachno!'

Ar gyrion Llyn Ogwen roedd ffermwr a gadwai faes pebyll. Nid oedd y cae yn un mawr iawn ond ambell dro, byddai'r nifer o bebyll yn 'tyfu' dipyn go lew.

'Sut ma'r campio wythnos yma?', holodd rhywun.

'Yn dda dros ben,' oedd yr ateb, 'mi o'dd 'na gymaint acw ddoe fel y bu'n rhaid i mi fynd o gwmpas efo berfa i hel pres!'

Byddai Bob Jones Dafis o Gapel Garmon yn agor beddi mewn mynwentydd lleol. Gofynnodd rheithor Betws iddo agor bedd. Agorodd un newydd ond daeth y rheithor i'r fynwent a dweud y dylai fod wedi ail-agor bedd cyfagos. Holodd y rheithor,

'Beth ydach chi am wneud efo'r bedd yma?'

'Dw'n i'm yn duw,' oedd ateb Bob, 'os na wnai roi *to let* arno fo!'

Pan oedd yn cael torri ei wallt yn Llanrwst un waith, holodd y barbwr pa ffordd oedd Bob yn troi ei wallt.

'Dwn i ddim,' oedd yr ateb, 'tro fo am Gapel Garmon i'r diawl!'

Dro arall roedd yn plannu tatws. Pwy gerddodd heibio ond y rheithor – oedd, roedd un yng Nghapel Garmon ers talwm!

'Plannu tatws ydach chi?' holodd. 'Mae yna domen dail yn y cefn acw, fasech chi'n lecio cael chydig?'

'Diolch yn fawr,' meddai Bob gan hwylio'r ferfa i'w nôl.

'Dwi ddim wedi'ch gweld yn yr eglwys ers dipyn, rŵan,' meddai'r rheithor.

Dyma Bob yn rhoi'r ferfa i lawr yn syth,

'Dyna fo, dwi'm yn gwerthu fy enaid i neb am lwyth o gachu!'

I lawr â ni o Gapel Garmon i wastadedd Dyffryn Conwy a dyna gyrraedd yn daclus i Faes yr Eisteddfod.

Geirio'n Gam y Prifathro yn *Llafar Gwlad*

Gweler yr atgofion gan gyd-athrawon a chyfeillion ym Mhorthmadog am gefndir y casgliad arbennig hwn. Treuliodd Arthur oriau o'i fywyd mewn gwasanaethau boreol er mwyn sicrhau'r drysorfa hon i'w genedl.

Cyngerdd wythnos nesaf – byddigions yr Eisteddfod

Mae'r alaw nesaf gan 'Trad'

Awdur yr emyn yw 'Anon'

Mae 'na rhyw fieri (yn lle miri) efo honna o hyd

Mae 'na Sioe Ffasiynol yn yr ysgol ddydd Gwener

Gormod o bapurau creision ar y cae ac mae'n gywilydd iddyn nhw

Ga' i'n gyntaf gyfleu at . . . (yn lle cyfeirio at)

Oedd o yma dan anwybodaeth

Mae rhai yn yr ail a'r trydydd flwyddyn heb gael bref (yn lle brech)

Ail oedd Awen yn y gystadleuaeth gas (h.y. cystadleuaeth wedi ei noddi gan y Bwrdd Nwy)

Cofiwch ei bod hi'n fraint gael y crips ond mae'r crips yn drychinebus am un o'r gloch a dwi di notisio ei bod hi fel cwt mochyn yma

Diwrnod ola'r tymor da ni'n cau

Oes yna rhywun wedi disgyn drwy'r ddwy stôl?

Gawn ni arbrawf rhag tân bore fory os yw'r tywydd yn iawn

Eisiau gwybod oes 'na nam ar yr amserlen

Does dim gwres swyddogol yn y rhan yma o'r ysgol

Dwi'n ddiolchgar dros ben am gael y llety (diolch am fenthyg y capel)

Dwi wedi gweld fod cotiau anaddas yn dod i'r ysgol, a dwi wedi siarad efo un

Mae na un neu ddau wedi clywed arogl, a dwi isio gwybod lle maen nhw wedi'i weld o

Allwch chi ddwad â nhw rhwng rŵan a dydd Gwener, neu cyn hynny

Gawn ni gydganu gyda'n gilydd

Os dach chi ddim yn byhafio, mi fydda i'n ehangu'r gwasanaeth ac mi gawn ni garol ecstra

Dwi isio clywed pawb yn canu'r emyn nesa ma, ac mi fydd yna DRWBWL a HELYNT OFNADWY os na wnewch chi ganu. Reit, dyma ni ta – 'Efengyl Tangnefedd'

Yn anffodus, mae'n ddiwrnod y mabolgampau heddiw, ond oherwydd y mabolgampau dan ni wedi'i ohirio fo tan ddydd Llun

Dan ni wedi cael ein beirniadu'n hael ofnadwy

Byddaf yn gofyn i'r gynulleidfa haneru eu hunain

Gobeithio y byddwch chi'n hapus yma, ond ddim yn rhy hapus

Gawn ni gydweddïo – a dwi isio clywed mwy o sŵn na bore ddoe

Maen nhw isio hel plant y chweched dosbarth i'r Coleg Trydanol

Mae'r plant yn sefyll o flaen y bys ac yn rhwystro'r dreifar rhag gwneud ei fusnes

Mae cymaint o lyfrau yno fel bod y lle fel cwt mochyn

Mae o yn gyn-ddisgybl sydd wedi mynd yn uchel efo Shell

Dwi'n medru dy glŵad di'n iawn machgen i – wyt ti'n meddwl mod i'n ddall?

Dwi isio gweld mwy o ôl cyboli ar eich gwaith cartref chi cyn ichi'i gyflwyno fo i mi

Ymweliad â'r Ysgwrn

Sgwrsio efo Marc, tafarn y Sportman *ger Cofeb Hedd Wyn
yn Fflandrys*

Rhan 7

Awdlau a chadeiriau

Toriadau papur newydd: ennill cadeiriau
Chwilog (1995) a Thalsarnau (1997)

Cerddi eisteddfodol

MYRDDIN AP DAFYDD

Ym mharlwr y cartref, roedd un o'r criw yn eistedd ar gadair a enillodd Arthur yn Eisteddfod Talsarnau. Ar fyrddau a silffoedd, roedd casgliad o gadeiriau bychain eraill yn dynodi'r cyfnod dyfal hwnnw o ganol y 1990au hyd 2015 pan gyfansoddai awdlau, telynegion ac englynion a chystadlu'n gyson mewn eisteddfodau lleol a rhanbarthol – a hynny'n llwyddiannus iawn.

'Faint o gadeiriau enillodd?' oedd y cwestiwn a gododd.

Dechreuodd Olwen gyfri heb symud o'i sêt. Roedd un yn nhŷ Elen a Joe yn Watford. Cyfrodd y rhai yn y parlwr, yna drwodd i'r stafell wydr a'r gegin a chyn hir galwai'r rhifau o stafell yr offerynnau cerdd.

'Ugain . . . un ar hugain . . . dwy ar hugain. Dwy ar hugain o gadeiriau enillodd Arthur!'

Huw Sêl oedd un o'i ysgogwyr i fynd ati i ddysgu cynganeddu ac englyna. Roedd Huw yn cyfrannu 'Colofn Farddol' i'r Odyn, ar y cyd â Huw Meirion Huws (tad Elfyn Llwyd). Dyma Arthur yn hel atgofion am hynny yng nghyfrol goffa Huw Sêl.

Byddai'r ddau Huw yn cyfarfod yn nhafarn Rhaeadr Ewynnol i drafod cynnwys y golofn farddonol, ac ambell dro byddwn yn ymuno gyda hwy er mwyn cael addysg amgenach na allai unrhyw ysgol neu goleg ei gynnig. Yno y taniwyd yr awydd ynof i ddysgu cynganeddu a phan fyddwn yn mynychu dosbarth R.E. Jones ym Melin-y-coed, byddai Huw yn holi hynt yr 'egin gynganeddwr' gan roi awgrymiadau cynnil ar sut i lunio llinell neu'n ddiweddarach sut i dacluso englyn. Ond bob tro, gwnâi hynny mewn dull a fyddai'n hybu'r brwdfrydedd ac nid ei bylu.

Enillodd Arthur ei gadair gyntaf yn Llanuwchllyn yn 1995, a hynny am awdl testun 'Cynefin'. Ymhen tair wythnos enillodd gadair Dyffryn Nantlle gydag awdl 'Y Dyffryn' – dyffryn Wybrnant ei gynefin oedd ei destun. Talodd deyrnged i'r Esgob William Morgan – a oedd yn un o'i hynafiaid, chwedl yntau.

> O ddawnus fab tyddynnwr – yn eu mysg
>   O'r Tŷ Mawr, daeth doethwr;
>   Di-balas gymwynaswr,
>   Angor iaith oedd gwaith y gŵr.

> A gwelai yn nhrigolion – ei hen gwm
>   Anian gwâr y Cristion;
>   Daeth awen eu hacenion
>   Yn ei rodd i'r Gymru hon.

Ond daeth newid i'r dyffryn. Yn ei oes ef, gwelodd 'stŵr anwar ceir estronol' ar y ffordd gul, a'r fro yn cael ei llygru gan y 'di-enaid ffyliaid yno'. Mae cynildeb tywyll yn y cwpledi hyn.

> Di-gartref yw y defaid
> Heddiw t'wyll yw ffriddoedd taid.

> Nid glaswellt, ond crawcwellt crin
> Yw'r gwair yn Nhalar Gerwin.

> Tai haf ym mynwent y wig
> Heno sy'n y Cwm unig.

Roedd canlyn eisteddfodau lleol yn rhan o batrwm cymdeithasol y teulu yn niwedd y 1990au. Enillai Elen Hydref yn gyson ar unawdau, llefaru ac unawdau offeryn cerdd. Gan ei fod yno, roedd cynnig yn yr adran lenyddiaeth yn gam naturiol i Arthur.

Llais yr Arthur yr oeddem ni'n ei adnabod sy'n ei gerddi. Yn ffurf y gerdd eisteddfodol, cyflwynodd ei brofiadau a'i weledigaeth. Mae Cymru, ei phobl a'i hiaith yn destun cyson iddo ond gwelwn hefyd ei egwyddorion wrth ymateb i newyddion y dydd a'r argraffiadau a gafodd wrth deithio Ewrop. Enillodd gadair Talsarnau 1996 am awdl i weddw yn ardal Babyddol y Falls yn Belfast sy'n byw dan ofn (mae wedi'i lleoli ar Nos Galan 1993).

Ofni byw ac ofni bod; – ofni sŵn,
   Ofni sôn am gysgod;
  Ofni sgrechian babanod,
  Ofni na fydd dydd yn dod.

Wrth loffa drwy ei ffeil eisteddfodol drwchus, mae'n braf gweld ei fod wedi cadw cyfarchion y beirdd lleol oedd yn rhan o ddefodau'r cadeirio ar hyd y blynyddoedd. Yn Nhalsarnau y flwyddyn honno, dyma gyfarchiad Anwen Cae Bran – wel, nid fel hyn air am air y'i darllenwyd o'r llwyfan chwaith, 'Doedd gennyf dim cweit digon o hyder i orffen y stori!' meddai. Roedd yn edifar ganddi wedi hynny gan fod ymateb y gynulleidfa mor wresog. Y tro hwn, dyma'r cyfarchiad, yn cynnwys y pennill olaf dadleuol.

Eisteddfod Gadeiriol Talsarnau a'r Cylch 1996
i gyfarch Arthur Tomos ar ennill Cadair yr Eisteddfod

Gorchwyl braf yw cyfarch Arthur,
Boi dymunol ar y naw,
Un heb flewyn ar ei dafod,
Heb ofn galw rhaw yn rhaw.

Brodor yw o Gwm Penmachno,
Nawr yn byw yn ardal Port,
Athro ysgol, bardd a chanwr,
Un ffraeth ei sgwrs, un da am sbort.

Os tarwch mewn rhyw dro i'w garej
Peidiwch disgwyl gweld y car,
Mae hwnnw allan ar y buarth.
Yn y garej y mae'r bar.

Cewch yno gwrw cartref
Na phrofwyd 'rioed mo'i fath,
Wnaiff gwrw'r Ship and Castle
Yn wan fel piso cath.

Byddwch giarantîd o feddwi
Wedi yfed llond un glas
Os na fyddwch wedi mygu
Yn ogla'r Methane gas.

Am ddawn bwysica'r prifardd
Mi fum hyd yma'n fud.
A wyddech chi mai Arthur
Yw rhechwr gorau'r byd?

Anwen o Wlad yr Haf

Daw diddordeb Arthur mewn cerddoriaeth i'r wyneb wrth ddewis canu mawl i Mozart ar y testun 'Dwylo', gan ennill cadair Eisteddfod Gadeiriol Dyffryn Conwy eto yn 2000. Mae Vernon Jones, y beirniad, yn canmol 'miwsig ei hir-a-thoddeidiau' ac yn nodi bod ôl myfyrio a llunio gofalus ar yr awdl.

Cwyd ysblander y cordiau niferus
I'r diweddglo yn gryno a graenus,
Yn don o afiath cyflwyniad nwyfus,
Gan gyrraedd uchafnod hynod hoenus,
I'r cannoedd roi bloedd o'u blys – hwy glapiant
Gân eu haeddiant i waith gogoneddus.

Yn Eisteddfod Llanllyfni, 1997, roedd Arthur ac Olwen yn eu seddau yn rhy gynnar a'r gweithgareddau'n rhedeg yn hwyr. Ar ei gopi o 'Raglen yr Hwyr' gyferbyn ag eitem '29. Grŵp canu ysgafn modern' mae Arthur wedi cofnodi ei feirniadaeth answyddogol: 'Cân anfarwol o sâl. Yr unig eiriau a ddeallwyd oedd 'Pawb wedi mynd i'r pyb'!' Eitem 38, yn union cyn y cadeirio oedd 'Cân Werin Gymraeg'.

'Duwcs, mi ro i gynnig arni,' meddai Arthur wrth Olwen. 'Mi basith yr amser.'

'Ond dwyt ti ddim wedi ymarfer yr un gân! Be gani di?'

'Mari fach fy nghariad – mi edrycha i arnat ti drwyddi ac mi fyddai'n iawn.'

Dyna wnaeth o, gan ennill y gân werin ac yna cael ei gadeirio.

Canu mawl i Ddafydd Iwan oedd thema'i awdl y tro hwnnw ac ynddi mae'n cyflwyno llawer o'i atgofion personol yn ymgyrchoedd Cymdeithas yr Iaith.

Af yn ôl ar hyd fy nhaith,
Fe alwaf i gof eilwaith
Hwyl coleg y chwedegau
Yna'r her, er mwyn parhau
Y gobaith i'n hiaith a'i hwyl,
A thynnu'r heniaith annwyl
Drwy ryfedd wyrth o byrth bedd
O'i gwely yn ei gwaeledd.

Elen yn eistedd ar un o gadeiriau ei thad yn dathlu ei llwyddiant yng Ngŵyl Telynau Llanrwst, 1999

Gruff Ellis yn edmygu Cadair Dyffryn Conwy, 1997

Ar 'Y Dydd', canwr diddan – a'i eiriau'n
    Rhai heriol o'u datgan
   Ar lafar neu ar lwyfan
   Yn dreiddgar i bedwar ban.

Canwr yn datgan cwynion
A galwad i'r henwlad hon
Un a dawn y trwbadwr
Yn felodaidd faledwr.

Talodd deyrnged i'w safiad yn 1969.

Hirlwm arwisgiad Carlo – oedd i ni
    Yn ddu nos, ddiddeffro;
   Arwr a'i gân yn herio
   Dyddiau o warth ydoedd o.

Edmygodd ei ddawn i ddal ati.

Â gwên y deil i ganu – a rhyddid
    Fyn roddi i Gymru;
  Anialwch o dristwch 'dry
  Yn fwriad i'n hyfory.

Cafodd Arthur lythyr o ddiolch gan wrthrych y gerdd.

*'Mae fel darllen teyrnged yn y golofn 'marwolaethau'! Na, o
ddifri, rwy'n gwerthfawrogi hyn yn fwy nag y gallwn ei fynegi
mewn geiriau. Diolch o galon.'*

    Un o'i awdlau tyneraf yw honno i Griffith Williams,
Llithfaen – hynafgwr dros ei gant a gyhoeddodd ei
hunangofiant. Daeth hon â chadair Llanaelhaearn 2002 iddo.
Mae adlais o gamp Arthur ei hun yn cofnodi a golygu
hunangofiannau eraill yng nghefndir rhai o'r llinellau.

  Hwn gofiai'r c'ledi 'gafwyd
  Her y byw ar brinder bwyd
  A swyn cymdeithas uniaith
  Yn hafau dechrau ei daith,
  Gwerin a sail eu geiriau
  Yn bêr oedd, iaith i barhau.
  Naddwyr cynhaliaeth oeddynt,
  Naddwyr min gerwin y gwynt.

Cofiai'r henwr am ddyddiau'r trai hefyd a dyma ddarlun o Nant
Gwrtheyrn yn troi'n adfeilion.

  Diwedd chwarel a welwyd,
  A daeth niwlen yn llen llwyd
  I guddio o dan gaddug
  Ôl y graith yng nghanol grug.

  Bu pentref yno hefyd,
  Dwy res draws o deras stryd,

Â chorws plant yn chware,
Iaith ein tir yn llenwi'r lle.

Fe welwyd yn adfeilion – y lle hwn,
   Mai hyll oedd cysgodion
   'Redai 'lawr yr ardal hon
   At gyfaill 'llawn atgofion.

Elen yn gwrando ar un o
siaradwyr brodorol olaf y
Fanaweg, Amgueddfa Douglas.

Yn 2009, enillodd gadair y Bontnewydd gydag awdl ar y testun 'Atgofion'. Ei thema oedd colli iaith, yn seiliedig ar brofiad y teulu yn Amgueddfa Manaw lle'r oedd modd codi ffôn a chlywed lleisiau siaradwyr naturiol olaf y Fanaweg a recordiwyd yn y 1940au. Yn ei gerdd, mae Arthur yn cymhwyso'r hyn ddigwyddodd ar Ynys Manaw i'w brofiad yntau'n cyflwyno heniaith Penmachno a'r fro i Elen ei ferch.

I fy merch, yn y fam iaith
Ai'n ofer sôn am afiaith
Hen eiriau ar leferydd
Y geiriau a seiniau sydd
A'u harfer bron ar ddarfod,
Synau rhyw bethau 'di bod?

Cofiai Arthur sgwrsio a glywodd ar aelwydydd bro Machno ei blentyndod ef.

Agor wnai drws y Dugoed
Tŷ'n y Cae a Thŷ'n y Coed
Yn y cof – yno y cawn
Arlwy'r gyfoethiaith orlawn
O wead dywediadau
A chywair pob gair yn gwau
Yn ei bryd, wrth greu brodwaith
O sain hardd i swyno iaith.

Ei gysur oedd ei fod wedi cyflwyno'r hanes hwnnw a'r iaith honno i Elen a bod parhad oherwydd hynny.

Eu hanes sydd yn sylfeini – ym myd
Fy merch, – eto ganddi
Y mae ysbryd, mae asbri
Fy mamiaith yn ei hiaith hi.

Er – neu'n hytrach oherwydd – pwysigrwydd ei gynefin a Chymru i Arthur, roedd ganddo fyd-olwg eang a gallai uniaethu â phobl ym mhobman. Dilyn hanes un o Wlad Pwyl,

Gŵr ifanc ag ir afiaith – a'i ddedwydd
Freuddwydion, fu unwaith
Yn gwybod beth oedd gobaith
A her y dydd ar ei daith.

a wna yn ei awdl i'r Ffoadur, a enillodd iddo gadair Eisteddfod Cemaes yn 1997. Gorfodwyd y llanc ifanc i ymuno â'r fyddin a gwelodd frwydro'r Ail Rhyfel Byd,

Ac yna o'r haul daeth tanciau'n rowlio,
Ton ar ôl ton, gyda'u gynnau'n tanio,
I fferu'r hydref gan ias y ffrwydro
A chwalu'n llwyr fel dyrnwr yn darnio
Â dwrn dur, i fraenu'r fro – daeth cysgod
Yno'n drallod ar olion yn dryllio.

Cafodd ei garcharu ond llwyddodd i ddianc i brofi anobaith bywyd ffoadur,

> Draw o wlad i wlad, heb lun, - ei enw,
>   Na'i hanes ar gerdyn;
>   Un athrist yn ddieithryn,
>   Un heb neb oedd erbyn hyn.

O'r diwedd, ymgartrefodd yn Llŷn ac, er cael yno heddwch a lloches i fagu teulu, roedd hiraeth yn dal i frathu wrth iddo, yn henwr, orfod derbyn ei dynged,

> Aros yng ngwlad ei wyrion – yw ei fyd
>   Gan fyw ar atgofion
>   A gadael ei gysgodion
>   I oes o dawch dros y don...

> Hyd yr elltydd daw'r alltud – i gerdded
>   Ag urddas, i'w fachlud;
>   Gwelodd na allai golud
>   Na gras, ei ddychwel i'w grud

Canodd gerdd wers rydd i'w obaith ar ôl refferendwm 1997 ac er na ddaeth yn fuddugol mewn eisteddfod, mae'n werth gorffen ar nodyn gobeithiol yng nghanu Arthur wrth edrych ymlaen at ddyfodol newydd i'r hen genedl. Mae'n ein hatgoffa o wyneb y gohebydd a dorrodd y newyddion fod Cymru wedi pleidleisio dros hunanlywodraeth.

> Wyneb yn llawn llawenydd
> wrth ddenu'r bore i hen genedl yr hunllef maith
> a'i deffro.

Trodd y blynyddoedd yn fy nghof
i awr ar gopa'r Wyddfa
wrth ganfod bysedd llewyrch
yn ymestyn drwy darth dyffrynnoedd y Dwyrain
gan ymafael yng nghreigiau'r cadernid
a chyhoeddi fod dydd yn cerdded tuag atynt.

Bardd Cadeiriol Eisteddfod Môn 2005

Cadeiriau Arthur

1995 – *Llanuwchllyn, Dyffryn Nantlle, Chwilog*
1996 – *Llanegryn, Talsarnau*
1997 – *Llanllyfni, Talsarnau, Cemaes, Dyffryn Conwy*
1998 – *Llanllyfni, Dyffryn Ogwen*
1999 – *Cwm Nantcol*
2000 – *Dyffryn Conwy*
2002 – *Llanfachraeth, Llanaelhaearn*
2004 – *Dyffryn Conwy, Y Talwrn*
2005 – *Môn (Cylch y Garn)*
2008 – *Llandderfel*
2009 – *Y Bontnewydd*
2010 – *Llanfachraeth*
2015 – *Dyffryn Conwy*

Gydag Elen a Joe adeg yr eira trwm ym Mhorthmadog, 2010